大展好書 好書大展

大展好書 好書大展

·校園系列·
5

視力恢復！超速讀術

若櫻木虔
川村明宏／著　江錦雲／譯

大展出版社有限公司

前言

速讀法的時代終於來臨了。現今對年輕人而言，學習速讀法甚至已為一種流行時尚。

本書中介紹川村明宏發明的連結速讀法，乃應時代的潮流、要求而產生之必須品，可說是時代的產物。

何謂時代的要求？

若說現今社會即將邁入「應考一億次的時代」，並不誇張。其中最大規模，當屬大學聯考，但比照各項國家考試，公家資格考試的應試者人數，亦達到令人吃驚的數目。

社會越高度文明化，則資訊越發達、複雜，為求正確無誤地運用資訊，不得不授予及認定從事資訊工作者正式的資格。

這種傾向有逐漸增強的趨勢，因而稱之為「飽食終日」的時代，人們不再尊崇以前的辛勞、勤奮，努力再努力而獲得的地位或成就。

一般人的想法，如果必須付出非凡的努力不可，那麼不進一流大學或企業也沒關係，但事實上仍然想進去。難道沒有不需努力便能獲得非凡成果的方法嗎?因而漸漸傾向這種「自私」的要求。

這就是生活富足時代的要求。

如此一來，如何才能高效率地準備大學聯考，或如何才能在有限時間內輕鬆自如地應付國家考試及資格考試，與其說是論述如何用功應試，不如說是用心研討一種考試技術的「方法論」。

針對上述情形，我們透過此書對外發表一有效的方法，即連結方式的速讀法。

因其可於短時間內高效率地閱讀，並且任誰都能輕易地學會，對好逸惡勞的年輕人而言，蔚為一種風尚，可謂理所當然了。

試就目前的教育狀況與以前的教育狀況，在此作一比較。

在我們「停滯的一代」當時所教育的學童，不少人於中學畢業後便馬上就職。

升學者如商賈子弟，由於皆可進入商職高中就讀，所以若繼續升學至大學的學生，則不論該大學為一流大學或三流大學，皆變成大家談論的話題，受人尊敬矚目的對象之時代。

然而，現在又如何呢？

假若只有國中畢業即就業，就會被胡亂猜測：該不會是家庭經濟相當困難，或是有什麼特殊原因嗎？有時甚至會遭受白眼。

我們當年初中畢業之際，那種考慮將來要往升學還是就業的方向前進的狀況，試想將之延後三年轉換為高中畢業的狀況，其情形算是相當吻合的。

照此情況，不久連大學亦將義務教育化，也是昭然若揭。

此外，教育的多樣化亦隨著高學歷齊頭並進。

還另有一途即國中畢業後，不直升高中而進入專科學校。專科學生即使不升大學，一般亦能在此參加符合其專長的特殊技能資格考，以取得某國家資格，或相當國家標準之資格。

若在一流企業上班，為了脫穎而出或者完成重要的交易，公司亦逐漸鼓勵員工最好取得某種國家資格。

步入中年以後，想必不需再考試了吧？錯了，其範圍更擴大至各種休閒活動，興趣的世界中之測定級數或段位考試。

今後的人生也許會發展為以考試開始，以考試結束的狀況。

關於考試，有一句老掉牙的話「四當五落」。

它的意思是：要想考上一流大學，只睡四小時來準備考試的人會考上；而睡眠竟有五個小時的人就會落榜。

此外，某些認為：向國家資格考試挑戰的話，用功程度最低也要如此。

閱讀以登榜者為特輯的經驗談時，發現有人很認真地表示：

「想要應屆生考上一流大學，每天最少必須用功七小時。」

然我們所主張的，是若想進入一流的大學，每天用功二小時就夠了，假如還不放心，那麼再加上早晨一小時，如此與晚上的二小時合計起來三小時即足矣。

也許有人會嚇呆了：「這麼短的時間！」然而其間存有一個最大的錯誤，即大多數人僅僅注意總時數，卻沒留意到每單位時間的工作效率、用功效率。

我們藉由速讀法課程所收集的資料中顯示，日本人的平均閱讀能力是每分鐘四百個字。

此種閱讀能力，若學校成績中上的學生，每分鐘為六百～七百個字；若是較優秀的學生，每分鐘為七百～八百個字；若是相當優秀的學生每分鐘為八百～一千字；若是「超」字輩的極優秀的學生，則每分鐘為一千～一千二百個字（上述皆於未受速讀法訓練的情況下）。

每分鐘一千二百字的學生，以頭腦的處理速度十分快速，所以同樣讀一小時的書，他可以消化每分鐘四百字的學生其三小時的讀書量。

利用連結式速讀法，僅需數日的訓練，即可將每分鐘只能讀四百個字的人，提升至每分鐘最少二千～四千個字。

進步神速者，可進步至每分鐘一萬字左右的速度。

當然，這是指對所讀取的文章之讀解能力，把握能力並不落後的情況下。

假如上述二種能力十分低落，那麼速讀法的存在價值就等於零了。

若說進步到什麼程度，只要想想未經速讀法訓練的超優秀者的閱讀能力頂多每分鐘一千二百個字，便想像得到吧！

學成速讀法者對於最近的出題趨勢之長篇文章試題，很容易發揮。他們在答完全部問題後，還可重讀二、三遍檢查出粗心犯下的錯誤，仍然剩下許多時間不知如何處理。

當然，不會發生「連不會的問題都會答」的奇蹟。

它僅是可以使只要時間充分便可答出的問題，在正式的考試中皆能答完，防止發生因時間不夠原本會答的問題卻無法作答的憾事。

為了將能夠提高每單位時間之資訊處理能力的技術，透過本書傳授給讀者，特於此公開一些應考的技巧，此技巧與以往強調「要如何如何的用功方式，或要怎樣的下工夫才不會失敗！」之類的考試經驗完全不同。

當然，多少會從連結速讀法的觀點，來提出一些有關筆記、參考書之選用方法的建議之類。

對於大學聯考、公家考試、資格考試等這種以長篇問題及單一選擇題占大部分的測驗，此技巧有能全盤應付的能力。

此外，應考或讀書等類的資料收集很辛苦，而且會有引發眼睛疲勞、視力退化的現象，可以說世界上沒有人像台灣那樣普遍的戴眼鏡了。

然而我們也明白了學習速讀法，所產生的一般常識相反的邏輯，即速讀法不但不會引起眼睛疲勞或視力退化，反而可增進已經退化的視力。

本書也闢以相當大的篇幅來介紹其科學的根據或原理，請務必以本書來學得連結速讀法，以便能有效地運用寶貴有限的時間來提昇成效，另外敬祝您生活健康，金榜題名。

目錄

第二章　速讀法的理論與實際運用

第三章　速讀法的意識革命

第四章 連結式視力復健法

第一章　速讀法及視力恢復

以速讀法恢復視力

本書中所介紹的連結速讀法之訓練，可減輕眼睛的疲勞；防止視力退化，甚至能有逐漸回復視力的現象。這是實情，但是我們也不得不承認，這實情違反了「只要視力一旦減退便無法復原」的一般常識。

上我們連結速讀法班的某一部分學生，在眼科醫院或眼鏡行，無意中提及恢復視力之論時，會碰到被人反駁並嘲笑的說：「練習速讀法來恢復視力？哪有這種事，不可能。」的情形。雖然不同哥白尼提倡「地動論」而被迫害的震撼性論調，但「那樣做（速讀法）也能恢復視力」。

無法恢復減退的視力，我認為是眼科醫師不夠用心、研究不徹底、怠慢所致。

在此將連結速讀的自修方法向大家介紹，讀者可於學習過程中，慢慢論證上述的理論。

恢復視力的有力旁證——本多學說

告訴大家連結速讀法的訓練的確可以恢復視力，並介紹其內容，完全贊成此論而說：「

啊！原來如此，以這種方法應該可以恢復視力」的人也有。

例如，以能力開發器具聞名的「金字塔針」設計者佐藤敦彥，及以神奈川縣為活動中心，教授子弟數千人的「菊池體操」開創者菊池和子女士即是此論贊成者。

因此二人亦多方面的指導有關恢復視力及恢復健康的方法，而其二人的理論及方法中亦有與連結速讀法共通之部分。此外，靜岡縣的數位醫師，最初亦抱持著懷疑的態度，但經過詳細解說理論後，多數醫師也認同連結速讀方式有恢復視力的充分根據。

居住在沼津市，研究中國眼科學的日本權威之一的本多傳博士，改良在中國所設計的眼部肌肉體操，引進之後即收到顯著的成效，使靜岡縣的學童視力有極高的恢復率。

而連結方式的速讀訓練與本多博士所設計的眼部肌肉訓練頗有相似之處。

單就此項，了解本多博士研究成績的人士，便能理解連結速讀法的恢復視力理論。

我們也特地為那些了解連結速讀法中，有「恢復視力」的副效果；並以此為主要學習目的的人，加強並改善訓練內容。

視力因何故而退化？

首先向各位讀者提出第一個疑問「視力究竟如何退化的？」

十之八九的答案內容不外乎是：

「閱讀過度、工作過量、電視看太多、打電視遊樂器過久或從事電腦、文字處理機之類的VDT作業之工作量過多。」

因此，要防止視力退化，因為無法減輕工作量，所以只好不看電視、電影，且儘可能不看書。而必須從事電腦或文字處理機的VDT作業工作者，根本無法輕易的更換工作，因此唯有透過眼科醫師、或視力恢復中心，展開一番奮戰苦鬥。

但是，無論怎樣都無法得到顯著的成果。

參加視力恢復中心，即使可使視力多少恢復一些，可是一旦停止訓練後，馬上就恢復「原狀」了。這是因為「視力退化乃因過度使用眼力」這種先入為主的、最初基本的錯誤觀念所致。根本上來講，視力退化其實是因為眼睛的使用方法不足及使用法過於偏頗所致。

所有的器官皆因不使用而退化

例如，我們腰腿的肌肉，若以田徑賽跑之類的方式來鍛鍊的話，則會使肌肉發達，但是只要一受傷住院，長久過著臥在床上；而不做其他活動之生活，肌肉便會逐漸地萎縮下來。

太空人乘坐太空梭，發射到無重力狀態的宇宙空間裡，過著幾乎是宇宙飄遊的生活時，同樣地，不但肌肉會漸漸地萎縮下來，而且會因人體的骨骼不需要支撐肉體，其主要成分的鈣也漸漸地溶解掉。

因此，必須對太空人的肉體施與人工的負荷運動，否則將不利返回陸地後的生活。

由此可知，人類的肉體如果一點也不用，則該部分的肌肉會萎縮，且功能也會逐漸退化下來。眼睛也不例外。

然而，未曾有任何證實，卻堅信「唯有眼睛例外，越用會越壞」，這都是觀念方面存有基本上的錯誤想法。

因過度疲勞而導致的視力退化特別例外

敍述如此極端的相反說法，必定會有人提出反對意見。例如，疲勞骨折的現象。

如果對四肢的恁一部分，持續給予超負荷之運動的話（青蛙跳時的膝蓋部分、投球運動

所有的器官都因不使用而退化。
眼睛也不例外

時的肘部或肩部等）會因疲勞的過度累積，最後終於引起骨折。

由此可知，理所當然眼睛也會發生這種狀況，因此有人認為視力退化的原因，大概是過度用眼吧！的確因過度勞累而導致視力退化及運動的疲勞骨折之這種現象，對眼睛來說，也不是絕對不可能發生。

但是，在我們的調查範圍內，大約數十人中有一人，或數百人中有一人，反正是極少的例外，大多數人都是因為使用不足，為一種運動不足的現象而使眼睛之功能退化。

平衡失調會增加疲勞度

在日常生活中，正確的姿勢不會使我們感到疲勞，但若以舒適而不端正的姿勢從事生活、工作的話，則非常容易感到疲勞。

那是因為不正確的姿勢導致身體肌肉的不平衡。

詳細情形說明於後，但對眼睛而言；同樣地會因使用方法過於偏頗，而令眼睛失去平衡。

因此一般常見的現象幾乎是，過度使用眼睛的某部分而累積其疲勞度；閒置不用其他部分而運動不足，使其功能退化。

總而言之，視力退化的原因乃綜合了十分之九的運動不足而導致的功能退化；以及十分之一局部的過度使用疲勞累積性的功能退化。

若學會連結速讀法，則能有效使用十分之九未曾使用的部分，來減輕十分之一局部使用的負擔。因此一般人先入為主的觀念，以速讀來閱讀，難道不會使眼睛疲勞嗎？正好完全相反，速讀不只可消除眼睛疲勞，而且最後還能恢復視力。

眼睛非用不可

患有眼疾的幼童，讓他戴著遮眼罩一直到治癒為止，摘下眼罩後，則有驚人的視力退化現象。這是典型的閒置眼睛的功能、運動不足而產生的視力退化。

這樣的視力退化於極短時間內發生，但是對恢復視力來說，卻要花費一段很長的時間，只有慢慢地做。因此，原則上治療幼兒的眼疾，是不戴遮眼罩的。

在大人方面，這樣因運動不足而視力急速退化的現象，並不多見，大多以緩慢的狀態減退視力的。

用眼過度乃視力退化之因，這樣的「信念所造成的錯覺」亦是加速退化的要因之一。

過度使用眼力最顯著者，莫過於中亞或非洲地區，以狩獵為生活重心的原住民吧！他們為了獵物，眼睛像皿一般，不斷的觀察遠處的地平線。

那麼，他們是否視力退化呢？完全相反，他們的視力為五・〇或一〇・〇的那種可謂之「超視力」的範圍。

附帶說一下，視力最好的人，擁有能在一粒米中刻寫千字文的特殊技能者，實際上有一五・〇的超視力。

此外，有人說視力退化者可以到山上去，凝視遠處的翠綠景色來恢復視力。

這樣漫不經心的眺望遠方之效果也不大，不若目不轉睛地凝視之效果好，而這類的作法有提昇視力的證明。然而，因為以前的信念「過度疲勞而視力退化」過於根深蒂固，所以儘管凝視遠方相當花費眼力，可是仍未被察覺。

視力退化果真是過度疲勞而引起，那麼應該是戴上眼罩不使用眼力會比眺望遠處收到更好的效果吧！但是如果真的那樣做的話，則如上所述，會更加速視力的退化。

以迷宮來檢查眼睛偏差的用法

起點
終點

起點
終點

此法在『視力眼部肌肉訓練』一書中亦有詳述之內容，就算是絮絮叨叨詳盡的敍述也很難了解，因此在此慢慢地加入具體的論證。

從三十、三十一頁開始，刊登了兩頁大的迷宮。首先請大家來試走這個迷宮。

也許有人會認為：「什麼！要做這個。」但事實上，這個迷宮破解測試乃連結速讀法訓練的第一步，因此無論如何請務必做此測試。

此迷宮的規則與一般的迷宮不同，不是依照空間部分，而是依照實線部分方式的迷宮。

從起點到線點，到底需要多少時間？對檢查眼睛用法的偏差而言，極為重要，因此請先預備秒錶，並與秒錶競賽。

如果手邊無法準備秒錶者，那麼希望能就近請人用時間來測量一下。

而後，希望能算出破解這兩個迷宮所需時間的平均值。

右腦型的人與左腦型的人

您需要多久的時間才能破解迷宮呢？

下列所示為大略的判定標準。

①三十秒以內破解者……您為右腦型的人。

②三十秒至一分鐘者……您為介於右腦型及左腦型的中間類型者。

③一分鐘至二分鐘者……您為左腦型，但右腦也頗為發達，因此慢慢加以訓練使之移至右腦型的人，並不困難。

④二分鐘至四分鐘者……您為典型的左腦型的人。

⑤始終無法破解，或者，看到迷宮便感到非常厭惡，因此一開頭便不做者……您為「超級」的左腦型的人。

即使稱之右腦型、左腦型，我想還是有很多人無法立刻明白吧！人類的大腦以一條深溝似的紋路，分成左右兩半球，左半球為左腦；右半球則為右腦。

右腦及左腦從外表看來如同雙胞胎似的一模一樣，但其性質及作用卻比雙卵性的雙胞胎還要不同。左腦的作用為邏輯性的思考及記憶之類，而右腦則有接受立體的感覺或影像的認識、音樂的感覺等之作用。

因此，以前述的迷宮破解時間為根基的基準，是讓讀者了解，您平常所主要使用的是左右腦的哪一側？其目的在此。

而且，亦可測知您平常眼睛使用法的偏差。

右腦型及左腦型極大的差異

如果您有這種想法：「哪有這種事！單憑一個小孩子在玩的迷宮遊戲，竟然就可知道是使用大腦的哪一側嗎？」那麼您就是左腦型的人物。

認為迷宮測驗很無聊而不去做的人，讀到此處即使已做了測試，花費破解的時間也一定要超過二分鐘以上。

如果您有這樣率直地想法：「嗯！果真如此，識別了右腦型及左腦後，是否真可檢視出眼睛用法的偏差呢？」那麼你是屬於右腦型的人物。

像這樣對一種情況的了解、認知，右腦型及左腦型的人都互相認為彼此的看法有如不同世界的人那般極大的差異。

因此，學習速讀法對右腦型的人較容易，而對左腦型的人而言，則多少會有一些困難。

理解類型的左腦型

左腦型的人與右腦型的人之不同

為什麼這樣說呢?因為左腦型的人大多具有「若無法理解其道理，便不會去做」的耿直性格，所以光以書本讓左腦型的人來學速讀法，還得再加上額外的說明才行。

這無關乎頭腦好或不好，乃因無法理解說明內容，這邊也有問題、那邊也有問題，光這些問題就不得不多繞些彎兒。所以學習起來多少有些困難，其原因在此。

對右腦型的人而言，這樣的說明就嫌過多了，但是因為在統計上左腦型的人較多，比率為九比一，所以不管如何以一般讀者為對象的書，在執筆時不得不考慮左腦型的人。

分類上屬於右腦型的人或許會感繁瑣，希望稍加忍耐一下，並請多加配合。

自動視線範圍的檢查

現在連左腦型的人也稍能接受，接下來便要進行眼睛的用法偏差測試了。

下面的兩頁圖版頁，記載了測試用的範文。此文章內容實在很好。

在中央印有一個標號★，請注視此標號。

目不轉睛的凝視這個標號★，絕對不要移動視線。

保持這種狀態，看看是否知道鄰行相同位置的文字為何?若知道了，那麼再隔一行的文字為何？又再隔一行的文字為何？如此依序測試下去。

怎麼看都不行者，可用手指指著鄰行的文字，待確認後再隔一行、而後再隔一行，這樣使用「以手指確認」的方法來指認所應確認的文字，做起來便容易多了。

照此方式，請確認不移動視點，而可認識左右多少行的文字。

可能的話，再以標號★為中心的相同要領，可否明確地認識上下的文字來進行確認的作法。

自動視線範圍及迷宮的相關關係

左右多少行，上下多少字這些數字，便是您目前可認識文字的範圍；自動視線範圍（有效視線範圍）。

也許讀者很難理解「自動」這個名詞，我想我們學過了英語的「自動式」、「被動式」的名詞。所謂自動視線範圍，即在自己的意識下可以有效地使用之視野範圍。

另外還有一個被動視線範圍，即在眺望景色時，雖看得見，但自己的意識無法有效的使用。有關自動視線範圍及被動視線範圍的不同，其對比說明詳述於後。

彷彿一個巨形的螺旋貝，自高聳而崎嶇蜿蜒的深深空洞，透露著黃灰色的微妙光線。如同頭上頂著一個厚重無比的殼，冰冷而肉厚的壓迫感，將底層開始往上飄。

（三千人，凝息靜待……）

城島達也突然想起不入俳句流的詞句：

在館內只聽到輕巧的賽璐珞球節奏的拍打聲，及橡皮鞋底與地板木質表面的摩擦聲，如悲鳴的聲音在寂靜的館內不斷地迴響，有三十秒之久。天空的陰雨並沒聽見，它照舊傾落著。一九八八年、十二月××日、星期日，午後三時二十分。

在東京原宿車站前，明治神宮的鳥居右側些許距離之處，建有二座丹下健三所設計的奧林匹克體育館。

初建時，可稱得上〈白亞〉一般的富麗堂皇，但是現今此二座建築物都蒙上一層鉛灰色的外衣，令人聯想到遙遠太古時代已滅亡的巨大螺旋貝化石。

這裡是距原宿車站較遠的代代木第二體育館內部。

觀衆席上幾乎擠滿了觀衆，其中也包含了國中生、高中生的球迷，大家都屏息地注視著桌球界年度大型比賽項目，全日本桌球選手權的男子單打決勝賽。

NHK的電視轉播開始時，全部清除場內的其他桌檯場地中央只留一枱決賽用的桌檯。

此次決賽的競爭者之一，為第一種子隊，日本誕生的（最後的）世界冠軍；第三十五回平壤大會男子單打冠軍老將，亞細亞樂器的頂尖高手，宇野誠司。

宇野以左腕發球抽球，憑藉年輕有力爆發式的扣球威力以及鐵壁式的短打封球而稱霸世界後，因腰、膝的疼痛而不再使用攻擊性的戰法，結果於第三十六回大會賽的一回賽上敗退下來，而消聲匿跡了一段時日。

不過宇野從前年開始慢慢有東山再起、重振雄勢的現象，獲得全日本社會選手權後，乘勢追擊，進階至全日本選手權的總決賽，在此之前，也將連續四年取得全日本男子單打選手權的日本汽車之頂尖高手齋田清志打敗，宇野如願以償的登上全日本冠軍寶座。

今年宇野以保衛帝芬定克冠軍的身分，如一般所測獲勝而進階爭取王位。

與宇野應戰的對手，正如大家所預測的，期望能一雪前恥而奪回王座第二種子隊的齋田清志。

從去年到今年，宇野及齋田之間的爭霸戰一直都是社會的頭條熱門話題，而桌球界如同進入〈宇野＝齋田的二強時代〉再也沒有任何人可以與他們相抗衡了。

視線範圍與迷宮破解力成正比

您的自動視線範圍有多大呢？

下列為判定標準的大略說明：

①可以認識整頁全部行數文字，而且也能明確地看清上下約十五字以上者

……您為典型的右腦型的人。

②可認識六行以上文字，也能明確地認識上下約八字以上者

……您為介於右腦型及左腦型之間的類型者。

③可明確地認識左右五行以下、上下約七字以下者

……您為左腦型的人。

④可明確地認識左右三行以下、上下約四字以下者

……您為典型的左腦型的人。

當然，可認識的文字範圍並非長方形，而是以標號★所在為中心，大略是橢圓形的範圍。

自動視線範圍廣闊，可認識極大文字範圍的人，應該在短時間內便可破解前面所示的迷

宮。也就是說「自動視線範圍與迷宮破解力成正比」。

不擅長迷宮者視野狹窄

為什麼自動視線範圍的寬窄與破解迷宮的能力有密切的因果關係呢？

因為，當人在注意某物時，只有在目的物上有效的使用自己的視野，意識上可用的視野為自動視線範圍。

與之相對的是，確實在視野內可看得見，但是不能有效地使用的，不很認真看的視野，稱之為被動視線範圍以示區別。

在自動視線範圍以外，被動視線範圍以內的資訊，雖可模糊的看到，但卻只是被動的放在腦子裡。

被動視線範圍狹窄的人，只能看清極有限範圍內的對象物品。

以迷宮而言，應該是將起點、終點及目前所在位置一併大略地放在腦中吧！

但是實際上，其自動視線範圍在意識上，並未包括起點及終點，而只侷限在自己目前所在位置的四週狹小的範圍內。

來。

因此，如同進入遊樂場地所設置的巨大迷宮一般，迷路迷得亂七八糟，最後還是走不出來。

自動視線範圍廣闊者能輕易的走出迷宮

但是，自動視線範圍廣闊的人，可看見意識所及廣泛範圍的對象物，因此不容易迷路。特別是那種能夠將起點及終點、所在位置三個地方同時收入視野的自動視線範圍廣大者，像前述那種程度的迷宮，最多不過十秒便能將之破解。

這樣聽來，多數讀者大概會想：

「啊！拼了命也沒辦法那麼快吧！不會是隨隨便便蒙混過去的吧？」

起點、終點及所在位置可同時收入視野那樣自動視線範圍廣大者，在一般未接受速讀法訓練的人群中，充其量也只佔了數百分之一的低比率而已。因此您在迷宮內苦戰苦鬥是理所當然的事。

如果您此後對迷宮有「看了就討厭」的想法時，那麼就是因為您下意識的自覺自己的自動視線範圍狹小之故。

此自動視線範圍的寬窄，對給予速讀訓練的人而言，還是有很大的影響的。

若自動視線範圍廣闊，則具有可在短時間內讀完一頁的可能性，但若狹窄的話，讀完一頁則非得有「有志者事竟成」那樣決心的努力不可。

那麼，同樣的人類，為什麼自動視線範圍會有這樣大的差距呢？

以無意義的記號頁檢查被動視線範圍

下二頁的圖版頁，整頁都是訓練用的無意義的記號。

這可不是用來佔篇幅以賺取稿費用的。

而是希望能讓讀者明確地了解自動視線範圍及被動視線範圍之不同所做的實驗。

您在這二頁上看到什麼了呢？

將視點放在概略的全頁之中心位置，則應該是幾乎可以環視所有的◆記號。

就算是因視力的關係而無法看完全部的人，也能充份地看完一半以上、三分之二左右。

被動視線範圍包含了自動視線範圍

然而，在前面那篇滿頁都是具有意義的文字測驗上，所得的效果卻是如此令人失望。變成若看得到右邊便看不到左邊，看得見左邊就看不見右邊，看得到上面便看不到下面，而看得見下面卻又看不見上面。

特別是做過前面的自動視線範圍測試後，而屬於左腦型者這種情形更加嚴重。

在此所敍述的內容究竟為何呢？即我們的大腦內具有一種「自動取捨選擇作用」的功能。這種功用是非常方便的，由此可證明人類大腦的優越之處。

但是在後面詳述有關速讀文章的說明時，此功用卻會產生極大的負面作用。

何謂大腦的自動取捨選擇作用？

在此稍加說明有關大腦的自動取捨選擇作用。

假定您與某人約定見面，地點在旅館的門廊。

您站在門廊上，四面八方傳來別人會面的交談聲、旅館外來往的車聲、廣告宣傳聲及音樂聲，所有的聲音交雜著全都傳入您的耳內。

而就在這時候，您約定的對象終於來了。

而後，當您一開口說到附近咖啡廳坐坐時，您的耳朵就聽不到周圍的談話聲或旅館外部雜亂的聲音了。那是因為您的大腦視這些雜音為不必要的資訊，將之排除在外。

這就是自動取捨選擇作用。

因為人類是在不自覺的狀態下運用這種能力的，所以當有極重要的對話交談時，便以錄音機私下將談話內容錄下來，而後再放出來聽時，則會懊惱雜音重重。

現在的磁帶錄音機較為進步，可以排除某程度的雜音，但仍非完備，以前的磁帶錄音機幾乎沒有具備雜音和聲音的選擇能力，所以會將不必要的聲音全部收錄進去，聽起來很辛苦。

自動取捨選擇作用為不會速讀的最大原因

這應該是非常方便的被動取捨選擇作用，但為何在速讀文章方面，卻帶來負面的因素。

首先，在小學所教導學生的教育方式，朗讀教科書的方法為其最大的原因所在。

如大家所了解的，在小學剛開始教導唸書時，老師要學生大聲朗讀教科書。這個過程，不管如何都免不了。

因為不這樣做的話，老師就無法確認學生是否以正確的讀法來記住教科書的文章，或是以亂七八糟錯誤的記法。

聲帶為不便利的直列處理器官

然而，當人類卻出聲閱讀時，聲帶的結構是無法一次發聲二個以上的字。

例如，即使是「你好嗎」這句簡單明瞭的話，也不可能同時發出「你」及「好」的聲音，要按照「你」「好」「嗎」的順序說下去。

以人造物品為例就如同管樂器，而鋼琴、小提琴這種弦樂器可同時發出好幾個音，管樂器則不能。

聲帶將思想轉變為聲音的過程，在物理學上完全等於管樂器發音的現象。聲帶如同一條肌肉的管子，震動通過管子的空氣而發音。

這種將資訊一個一個依序處理的動作稱為「直列處理」，而可同時處理數個資訊的行為稱為「並列處理」。

請回憶高中理科所教授的乾電池之「直列連接」及「並列連接」便容易了解了。

因此由於聲帶是從頭開始一個個依序處理資訊，所以可說是直列處理器官。

而鋼琴或小提琴等之類，為並列處理樂器。

條件反射機構啟動自動取捨選擇作用

此音讀習慣已根深蒂固，因只需將意識集中在一個文字上，所以集中焦點卻讀取之處及神經集中處以外的文字，就算映入視野也不會讀取那樣地切斷意識。

這是一種條件反射。這與在旅館門廊中，交談熱烈的客人由於專注於說話，完全沒有聽到外面道路上往來車輛的引擎聲及周圍的談話聲之情形相同。

因此就算是不再被強制音讀的中學程度以上的學生，此音讀的習慣仍根植於潛意識內，大部分的人都需口中喃喃自語邊唸邊讀，或是在「心中」默讀的看下去。

這樣一來，讀書的速度，只有放慢下來比照一個字、一個字的音讀。

您是什麼情況呢？請稍回想一下自己的讀書狀態。應該有很多人都是這樣。

音讀的影響長久深遠

因為這種音讀的習慣為幼童體驗，除非有什麽機會矯正，否則永遠也拋不掉這習慣。實際上發出聲音除非不讀，否則應可同時看很多文字，但實際上卻沒有，全因潛意識中根深蒂固的音讀習慣。

上我們速讀法課程的人，大概有百分之七十開始訓練前看書速度為分速四百個字，這個數值同音讀的速度一致。

因此受音讀影響長久的人，自動視線範圍會因不需要而漸漸狹窄起來，而與被動視線範圍之間便有了差距。

我想讀者應該了解了，而左腦型的人也是易受音讀影響長遠的人。

如何彌補自動視線範圍與被動視線範圍之間的差距

以前面整頁都是無意義記號，來測試被動視線範圍，可以看到什麽範圍的◆。被動視線範圍內，自動視線範圍外的資訊，雖可看到，但卻無法使用。

如同誰都有運動耳朵肌肉的能力，但是實際上卻極少人會去動它，因此大腦便判定不需要該部分的運動神經而切斷了回路。

空有寶物卻不知運用，看得到卻無法納入意識內，因為不無好好地運用資訊，所以在破解迷宮時，會拖拖延延而迷失了方向。

自動視線範圍狹窄亦為視力退化之因

再次將話題拉回視力退化，便能明白眼部肌肉運動不足固然會引起視力退化，但自動視線範圍狹窄也是視力退化的極大原因。

如剛開始所敍述的，肌肉或功能不用便會漸漸的衰萎下去。

耳朵不能動是因不讓它動；不再用刀削鉛筆的手指會漸漸喪失使用能力，一旦想要削削看時，則會變成削的不是鉛筆，而是自己的手指頭。

眼睛也是這樣，能夠識別被動視線範圍內，自動視線範圍外的物體之功能，在意識上因不用之所以便不需要，因此功能就漸漸衰退下來。

然後，接收狹窄的自動視線範圍內資訊的腦細胞，則因過重的負擔而從此處於緊張狀態。此與眼部的運動不足同為視力退化極大原因之一。

拿棒球投手做比喻，便易理解。

全身用力均衡，使用順暢投球方式的投手，只要不過度其投手生涯便會長久。但是若為方法不圓滑的投手，為了投出難擊中的變化球，則會因身體局部負擔過大而提高了肩部或肘受傷的可能性。

會出現疲勞骨折、脫臼、軟骨異常發達的各種病況。

以「馬薩克利投法」而聞名的投手，羅特歐里歐斯的村田兆治，就是一個典型的例子。

在此將我們長年指導速讀法，所得的有關現階段視力退化的假設歸納出來。

即自動視線範圍過窄、處理此範圍以外資訊的功能退化、及部分自動視線範圍內資訊處理的負擔過重、還有眼部肌肉的運動不足而造成血行不良等等因素互相導致而成。

擴大自動視線範圍為提昇視力的重要關鍵

雖然這樣，但我想還是有自動視線範圍雖沒有那麼廣大，但視力仍不錯的人。

那是因為偶爾也會有眼部肌肉運動不足的生活習慣，這樣的人必須十分小心，因為您如同隨身帶著一個隨時可以引爆視力急速退化之現象的定時炸彈。

透過連結速讀法的訓練以擴充自動視線範圍，努力使之儘可能地接近被動視線範圍，最後兩者合而為一。

如果將速讀法與不可或缺的眼球直線運動一起併用的話，則不但可以防治視力退化，而一旦已退化的視力亦能開始慢慢進步。

欲擴大自動視線範圍必須踏實地努力

但是要擴大自動視線範圍，並不是一天、兩天就可完成。

例如，欲將自動視線範圍成功地百分之九十接近被動視線範圍的話，則要能夠達到一目便可識別全頁文字的地步。

這種程度就有速讀法的一般所講的：「整頁文字就如同照相攝影一般，整個飛躍浮現在眼裡」狀況產生。

這種速讀法與以前的逐字閱讀之看書法全然不同，因此當您確實學會了速讀法後，便會感受到一種滿足感。

可是要在短期內便學會速讀法者，只限於一開始自己的自動視線範圍就廣闊的人。而自動視線範圍狹窄的人，則必須要不斷地加以擴大訓練的花上一年、二年的時間。

畢竟一般人並非是那種程度耐力極強的努力專家。

大多數的人，都不是為了要學會如相機般一目一頁的讀法而參加速讀課程的，而是為了要快一點的讀一些必要文件、書本才鑽研速讀法。

這樣一來便有失其最大目的而本末倒置了。

點字識別及相同難度的擴大視線範圍

也許各位還難以理解可以看得到在被動視線範圍內、自動視線範圍外的資訊，但在意識上卻無法讀取的情況。

因此，再舉一個淺顯的例子使您易於了解。

麻將是一種大衆化的娛樂。

此個中老手，有能夠不看牌僅以指腹觸摸牌面的凹凸形狀便知是什麼牌的「盲牌」技術。

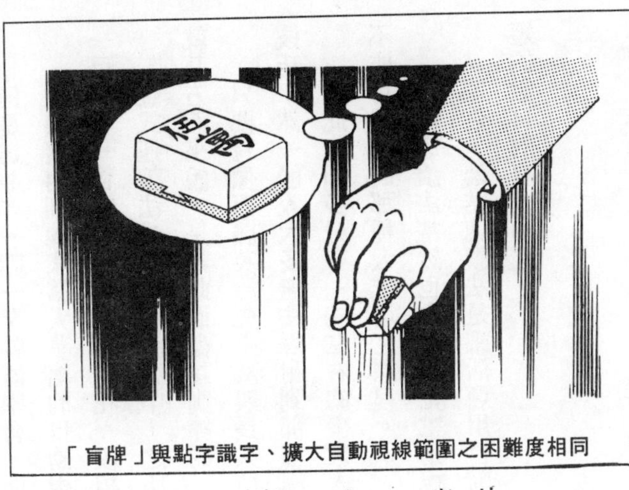
「盲牌」與點字識字、擴大自動視線範圍之困難度相同

這與盲人點字，以指尖敏銳的觸覺來識別文字是一樣的。

正常人看過點字的排列，可以知道是什麼文字，比較不困難。但是，試試看閉上眼睛，和盲人一樣以指尖的觸覺來讀取點字，卻發現相當困難。

麻將的盲牌，及以指尖讀取點字的困難度，同樣令人感到如天方夜譚般的困難。

為何做定點凝視法便無法學會速讀

聰明的讀者看過麻將的比喻，一定馬上就明白了。

欲認識被動視線範圍內、自動視線範圍外的資訊，就如同麻將初學者遲鈍的指尖觸感一樣。可以感覺出其凹凸的形狀，卻不知道它是什麼牌。

但是這並非一朝一夕就能學會，而是需要一段極長的時間。

這跟藉由訓練來擴大萎縮的自動視線範圍一樣，使之接近被動視線範圍，最後終能達到一目讀完一頁的地步，都是要花一段相當長時間的。

金式速讀法或其分支流派中，之所以導入一眼即可讀取整頁的「固定點凝視法」訓練，就某方面來說，是為此而做該訓練的。

只要有像齊滕英治先生那般長久持續的耐力的話，是不可能學不會如同麻將的盲牌般的技巧；然一般人大多無法忍耐到那種程度而會中途放棄。

因此，頂多只有一成左右的少數人可以學成；而對金式速讀法而言，是絕對無法排出學不成可退費的那種大排場之課程。

連結速讀法當然也會做拓寬主動視線範圍的訓練，但並不將其列為重點。

總之，連結速讀法是靈活運用目前的主動視線範圍以學成速讀的訓練，所以是可以在極短的數日內學成的。

第二章　速讀法的理論與實際運用

不使用的功能會退化，常使用的功能較發達

前一章曾提到，不單是人類，所有的生物皆有下述特性：閒置不用的能力或功能將會逐漸退化。

生活在深海或黑暗的洞窟等幾乎沒有光線照射的世界中的生物，由於不需使用眼睛以致眼睛的功能逐漸退化，最後演變為全盲。

反之，經常處於戰鬥狀態的部族，為了預防敵人的偷襲，他們的聽覺變得十分敏銳；此外視覺也十分發達，連飛射而來的箭及槍彈都能看清楚。

也許有人認為：「怎麼可能連子彈都看得清？」但據說若是視力良好的人，要看清子彈的飛蹤並不是十分困難。

不會速讀是因為不需要

再將話題轉回速讀法。一般人不會速讀的理由，是因為他沒有非速讀法不可的必要性。

您也許會如此反駁：

「不對！我有使用速讀的必要性。所以，我不是買了這本書而且還正在讀它呢？」
並非如此。我們在此所談的，是指您的潛意識、深層心理上的問題。
印在書本上的文字，通常是不會消失的。
因此，翻頁的速度全憑你自由決定。
在此種情況下，人們會在不知不覺中妥協，即使想要速讀，還是會不自覺地慢下來。
而此種傾向，以左腦型的人更為明顯。

全力以赴的困難之處

有一位田徑的長跑選手，名叫松野明美。
因為長得十分可愛而使她如偶像明星般地受人喜愛，但是使她人緣更好的原因，係因為她無論何時、在任何競賽中皆是全力以赴。她那種跑到終點後即撲倒在地，半天無法起身的完全燃燒式的比賽姿態，令人折服。
其他選手亦表示：
「我實在無法像松野選手那般使盡全部的精力來比賽，如何才能學會她那種跑步方式呢？」

如此感嘆的選手們，其本身亦為代表日本參加奧運或世界性比賽的一流選手。由此可知，不向自己的環境妥協而全力以赴，是一件多麼困難的事。

由於要成為一流的運動員必須過著禁慾生活來鍛鍊自己，所以意志薄弱的凡人，以他那一星半點的決心是不可能成功的。

以「想讀得快一點」、「有速讀的必要」這種程度的心情來速讀的話，就算本人是十分認真的，但妥協心理必定會介入其中，在不知不覺中形成一大阻礙。

看慣了瞬間即逝的文字者閱讀能力較強

根據記載，未曾受過速讀法訓練的人，其平均閱讀能力是每分鐘四百個字；而學生、編輯、學者等日常生活中經常接觸文學的人，閱讀能力就更強了。

其大致上每分鐘可讀六百至八百個字，優秀的人最多是一千個字。

但是，在參加連結速讀法教室的學員當中，有時亦有在開始訓練之前即可每分鐘閱讀一千五百或二千個字的人。

向那些人一探究竟，結果都是在日常生活中使用電腦的人，無一例外。電腦的顯示器上所顯示的文字，和印刷在書本上的文字不同，它瞬間即逝。由於平時即有「在消失之前讀完它！讀完它！」的習慣，因此這些人比日常生活中經常接觸印刷文字的人擁有更強的閱讀能力，是理所當然的。

然而此種自然發生的自創性速讀法，由於並無科學理論來建立體系，故其發展有限。

連結速讀法是以科學為根據來印證此理論並建立其體系，且以川村明宏於一九七八年在開發電腦軟體時靈光一閃的創意為雛型。

本速讀法與韓國的金式速讀法所注重的訓練內容迥然不同；然持有「速讀法即金式速讀法」之錯誤觀念的人們，經常會提出此類疑問。其實本速讀法不但起源與其完全不同，且早在金式速讀法輸入國內之前，即以企業進修為中心進行指導至今，而非從金式速讀法另外分支出的「追隨者」，故其間當然會有極大差異。

利用強制手段來激發潛能

前言到此告一段落，緊接著要邁入連結速讀法的理論及正式訓練了。

人類的潛能是極大的。

例如，將份量為文庫版或新書的一頁之文章（約六百個字）顯示在電腦的顯示器上，且設定該文章僅顯示一秒鐘即消失。

當然，在剛開始的時候，學員根本無法閱讀；但在持續的訓練之後，都漸漸地能夠閱讀了。然此成果並非發生在訓練半年或一年之後，它發生在僅僅數天之後！有時甚至也有進步神速的人，當天就能以上述方式閱讀。

人類的潛能經由如此的強制手段即可激發而出。

人們平時沒有注意到自己的潛能有多大，那只是因為沒有機會去注意罷了。

連結速讀法的電腦軟體訓練教材

在此先說明有關由鑽研連結速讀法的新日本速讀研究會，其辦公室自動化等部門所發售的速讀法訓練用電腦軟體教材的內容。

本書是為了尚有懷疑的讀者而編寫的，並非用以宣傳此套電腦軟體。

連結速讀法可以以自修方式學習，本書所介紹的訓練內容即足以供自修之用。

尤其是只要能增快讀書速度為目前的二、三倍就心滿意足的人，使用本書就綽綽有餘了。然而，本書可比喻為煮拉麵的炒菜鍋。

一般人頂多拿它來煮煮麵條或水煮蛋；但若由烹飪技術較好的人來用，要用炒菜鍋來煮飯、烤麵包或蛋糕也不是不可能。

可是，若非因緊急事故而遇到斷電、缺瓦斯，誰也懶得那樣大費周章，而情願用電鍋煮飯，用烤麵包機或烤箱來烤麵包吧！

為什麼呢？那是因為使用電器就不需與火候水量戰鬥，實在方便太多了。

同樣地，欲自修速讀法時，若使用只須操作鍵盤即可使顯示器上的文字以一定的速度消失的軟體教材，便不必大費周章，十分方便。

若以書本來自修速讀法的話，由於印刷字是除非點火否則不會消失的，因此不得不多花些功夫來練習。

以無法讀取的速度來閱讀

各位目前為止皆已利用電腦軟體教材練習，從顯示器的一端依序一個個地讀取每一個字，現在起要進行將該方式延伸之「描字」訓練。

此訓練，係練習讀取從顯示器上一個個地依序高速顯示之文字。

若是以毫不費力就可讀取的速度來練習，就無法激發你的潛能，那便稱不上訓練了。

軟體教材中，將文字在顯示器上顯示的速度，設定為四個階段：低速（電影字幕的速度）、中速（低速的一・五倍）、高速（低速的三倍）、超高速（低速的六倍）。

開始訓練之前依個人的閱讀能力之不同，有人在中速時便覺得讀取困難，也有人從高速起才覺得困難。

我們並不從開始覺得困難的層次起訓練，而是提升至更上一層的難度來訓練。

違反常理的連結速讀法訓練

連前一層次都覺得困難，要在比它更高層次中閱讀根本不可能。

這是最基本的常識。然而，強迫執行此種訓練的話，儘管文字在顯示器上以一定的速度顯示，但經過數分鐘後，您會覺得速度似乎稍微放慢了。

總言之，為了設法配合瞬間即逝的文字之速度，而使得潛能活性化了。

發覺文字速度變慢時，請返回先前覺得很難的層次，再挑戰一次看看。

你將發現，剛才還讀得很辛苦而且無法記住內容的文章，這次卻能好好地玩味熟讀。

活性化所需時間不過數分鐘

如此即可輕而易舉地把人類的潛能活性化。藉本方法所提升的讀書效率，平均爲原來速度的二倍左右；而提升至此所需的時間，卻只要短短五分鐘而已！

在教室上課時，欲提高讀書效率為二倍的話，需要二十至三十分鐘，但那是包括解說速讀理論的時間，若單指訓練時間，則只需數分鐘即足夠。

不使用電腦而僅靠書本所做之訓練，乃是應用此項原理，也就是以無法讀取的速度強迫自己閱讀，即可使潛能活性化，而提高讀取能力。

但是如前所述，書本上的文字是不會消失的，所以在訓練時較費工夫。

這要利用訓練來給予「消失」的錯覺。那是由於個性上較頑固的人，其心中「書本上的文字怎麼可能消失嘛！」的潛意識太強，不容易掉入技術上的「陷阱」內的原故。

逆轉正常的讀書順序

那麼，如何利用書本來訓練呢？

方法和電腦軟體教材相同，也就是將目前為止所用的正常讀書順序完全改變過來。

此話怎講？仔細分析各位目前為止的讀書方法，可得知大多以左示順序來閱讀。

①打開書本，印刷文字映入眼簾。

②從頭開始依照順序閱讀意義相同的字群。

③把握並理解字群的內容。

④將某個程度的理解內容，刻劃至大腦的記憶回路中。

⑤覺得已經記住時，即進至下一個意義相同的字群。

為何會以此順序來閱讀？那是由於潛意識內有「文字絕不會消失」之安全感的原故。

若是文字經過一定時間後即消失，就無法用此種耗時的讀書方法。

我們就假想現在正為該種異常狀況，大幅改變此種讀書順序。

那要怎麼改變呢？

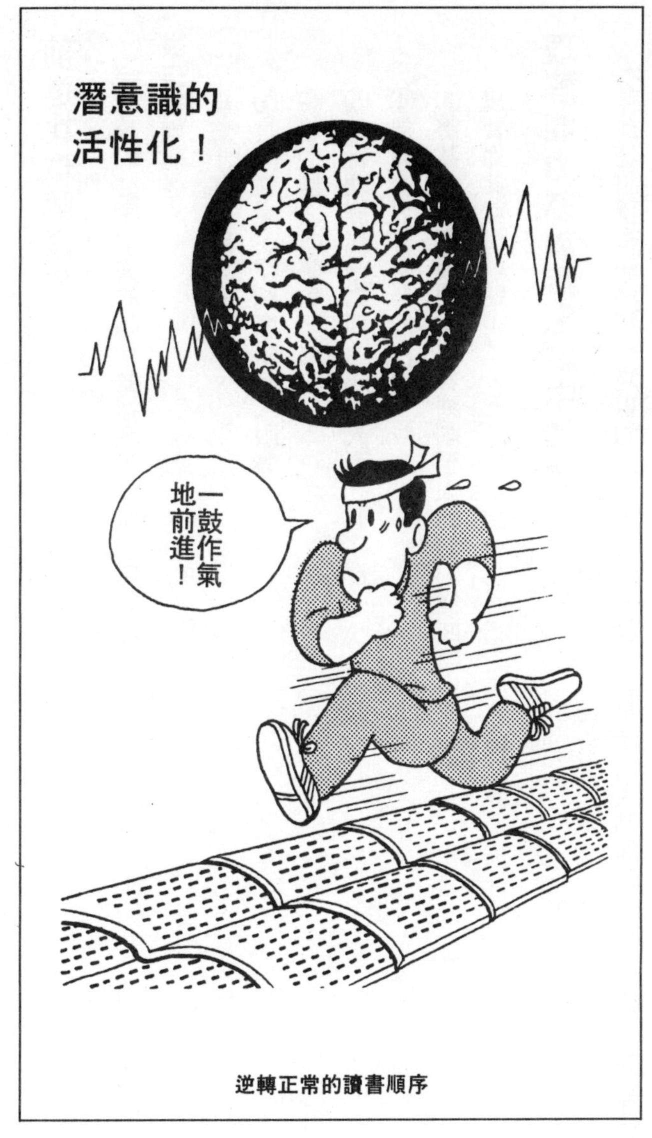

逆轉正常的讀書順序

前進比理解優先

應讀的文字消失的話什麽都完了，所以與其注重把握理解內容，不如在「消失之前」一鼓作氣地前進。

總之，其順序如左所示。

①打開書本，印刷文字映入眼簾。
②將字群從頭瀏覽一遍。
③執行理解作業之前，先進入下一個字群。
④把握並理解字群的內容。
⑤將某個程度的理解內容刻劃至大腦的記憶回路中。
只要如此就可以速讀了。

理解能力亦於無意識中加速

像此種將讀書順序完全變更的方式，對以一般常識生活的人們而言，一定是無法想像的天外奇想。

雖然稍微嚐試一下即可了解，何謂理解之前先勇往直前，但其內容就會變得不知所云了。如此一來，上述的④及⑤項則變得毫無意義。

但是，實際使用此種閱讀方式時，目前為止一直因文字不會消失而安心怠惰的讀取理解能力，會因而急急忙忙地加快本身的速度。

接著，大腦的無意識回路也會開始活躍起來。

然由於無意識回路無法有意識地把握內容，所以無論怎樣加速，也都只有視線一直向前衝刺，而理解能力遠遠落後，故一直處於幾乎完全無法理解的狀態中。

所以雖說理解能力增快了，但本身並沒有感覺到，因而頓時如墜五里霧中，總有受騙上當的感覺。

加速又減速即可連結意義

然而，當您降低視線的速度時，由於理解速度加快剛好與視線的速度一致，因此字群方反映在視網膜上即與該字群的意義相連結。

總之，您的理解能力會大增，而且理解速度與利用電腦訓練的成果相同，最少也可增快二倍以上。這麼說讀者們可能還是不太了解，還是舉個例子來說明吧！

筆者曾提到松野明美，所以還是以田徑的長跑選手為例。筆者編寫本書時，當時的世界女子田徑女王是挪威的英格麗特克麗絲瓊絲，及葡萄牙的蘿莎莫特。

這倆人在參加橫濱的世界長距離接力對抗賽時，曾以猛烈的氣勢一口氣超過各國選手五人、十人，挽救了同隊選手所犯的錯誤。

被超越的選手一下子就落後她們十公尺、二十公尺，簡直就像大人和小孩賽跑一般。但被超越的選手們並非泛泛之輩，他們在日本國內的都道府縣長距離對抗賽中，仍屬脫穎而出的一群。

現在將話題轉回到速讀上，我們假設那些超越他人的選手，相當於以無法理解的速度來閱讀的訓練；而讀解理解能力，就是被遠遠拋在後面的選手。

被超越的選手當然也不能呆呆站著任其超越，還是要努力縮短彼此之間的差距。

因此，假使已領先的選手因耗盡體力耐力而降低速度，或者腳部受傷而跌倒在地時，就有可能趕上他了。

速讀訓練也是運用同樣的道理，以無法理解的快速來閱讀，一旦稍微降低速度，理解能力一下子就可以迎頭趕上了。

上下二點閱讀訓練

那麼我們就開始試試利用本書所做的簡單的書面訓練吧！

其實，這應稱為上下二點「不讀訓練」。

若有人在一旁協助您是最好不過的了。如此一來訓練較易進行；但若沒人協助，自己一人也是可以進行訓練。

下一頁起載有訓練用的範文，請勿因好奇其文中到底有何有趣的內容，而一口氣看完該篇範文。文章的行首及行尾附有■符號以做目標，請您看行首及行尾的■，兩個■之間的文章即使想讀也請略過一看，一鼓作氣地前進。

只看行首及行尾兩個地方，故稱為「二點閱讀訓練」（除了二點其他都不看的訓練）。

您在「預備，碰！」開始後的十秒鐘內，可以看多少呢？

若無人協助多少有些不便，請您口中一邊數「一、二、三、四、五、六……」一邊訓練。在經過十秒之後數一數看過的行數，然後請勿讀範文（以後會有讀的機會，不用擔心），直接跳入接下來的文章，從該段繼續前進。

那麼我們要開始囉，預備……開始！

☆ ☆ ☆ ☆ ☆ ☆ ☆ ☆ ☆

■速讀法的時代終於來臨了。■現今對年輕人而言，學習速讀法甚至已成為一種流行時尚。■本書中介紹川村明宏發明的連結速讀法，乃應時代的潮流、要求而產生之必須品■，可說是時代的產物。■何謂時代的要求？■若說現今社會即將邁入「應考一億次的時代」，並不誇張。■其中最大規模者，當屬大學聯考，但比照各項國家考試，公家資格考試的應試者■人數，亦達到令人吃驚的數目。■某出版社的『國家資格考試全書』中，介紹數千二百三十八種類的考試，若統計■這些應試者的總數，則絕對超過大學聯考人數。■

■今後資格考試的人數想必有增無減吧。■

■社會越高度文明化，則資訊越發達、複雜，為求正確無誤地運用資訊，不得不授■
■與及認定從事資訊工作者正式的資格。■

■現在是連曾屬義務性的體育教練，都被要求需接受評定為國家幾級指導員的時代。■

■此外就連與休閒活動相關的人員，若無持有公定資格就不能處理。■

■這種傾向有逐漸增強的趨勢，因而稱之為「飽食終日」的時代，人們不再尊崇以■
■前的辛勞、勤奮，努力再努力而獲得的地位或成就。■

■一般人的想法，如果必須付出非凡的努力不可，那麼不進一流大學或企業也沒關■
■係，但事實上仍然想進去。難道沒有不需努力便能獲得非凡成果的方法嗎？因而漸■
■漸傾向這種「自私」的要求。■

■這就是生活富足時代的要求。■

■如此一來，如何才能高效率地準備大學聯考？或如何才能在有限時間內輕鬆自如■
■地應付國家資格考試，與其說是論述如何用功應試，不如說是用心研討一種考試技■
■巧的「方法論」。■

針對上述情形，我們透過此書對外發表一有效的方法，即綜合方式的速讀法。

因其可於短時間內高效率地閱讀，並且任誰都能輕易地學會，對好逸惡勞的年輕人而言，蔚為一種風尚，可謂之理所當然了。

試就目前的教育狀況與以前的教育狀況，在此作一比較。

在我們「停滯的一代」當時所教育的學童，不少人於中學畢業後便馬上就職。

升學者如商賈子弟，由於皆可進入商職高校就讀，所以若繼續升學至大學的學生，則不論該大學為一流大學或三流大學，皆變成大家談論的話題、受人尊敬注目的對象之時代。

然而，現在又如何呢？

假若只有國中畢業即就業的話，就會被胡亂猜測：該不會是家庭經濟相當困難，或是有什麼特殊原因嗎？有時甚至會遭受白眼。

在目前高中在法律上雖非義務教育，但由於不分貴賤大家皆欲升學，所以感覺上亦如同義務教育學校一般了。

我們當年國中畢業之際，那種考慮將來要往升學還是就業的方向前進的狀況，試

■想將之延後三年轉換為高中畢業時的狀況的話，其情形算是相當吻合。■

■照此情況，不久連大學、短期大學亦將義務教育化，也是昭然若揭。■

■此外，教育的多樣化亦隨著高學歷齊頭並進。■

■還另有一途即國中畢業後，不直升高中而進入專科學校。■

■然以最近的趨勢而言，專科畢業生亦獲有高中畢業資格，升大學之路亦因而大開。■

■總言之，專科學校也成為變相的高中。■

■專科學生即使不升大學，一般亦能在此參加符合其專長的特殊技能資格考，以取■
■得某國家資格、或相當國家標準之資格。■

■另外，現在甚至有人另走旁門左道，國中畢業後不上高中或專科學校，而上補習■
■學校或在家自修，打算通過高中畢業資格檢定考直接向大學前進。■

■然而漸漸地，想要進大學、畢業，就業後即能永遠脫離考試這件事，是越來越渺■
■茫了。■

■若在一流企業上班，為了脫穎而出或者完成重要的交易，公司逐漸鼓勵員工最好■
■取得某種國家資格。■

步入中年之後，想必不需再考試了吧？錯了，其範圍更擴大至各種休閒活動、興趣的世界中之測定級數或段位考試。

今後的人生也許會發展為以考試開始、以考試結束的狀況。

關於考試，有一句老掉牙的話「四當五落」。

它的意思是：要想考上一流大學，只睡四小時來準備考試的人會考上；而睡眠覓有五個小時的人就會落榜。

此外，某些人認為：向國家資格考試挑戰的話，用功程度最低也要如此。

閱讀以登榜經驗談為特輯的出版社之考試秘訣時，發現有人很認真地表示：「想要應屆考上東京大學的話，每天最少必須用功七小時。」

然我們所主張的，是若想進入東大程度的大學每天用功二小時就夠了，假如還不放心，那麼再加上早晨一小時，如此與晚上的二小時合計起來即足矣。

也許有人會嚇呆了：「這麼短的時間！」然而其間存有一個最大的錯誤，即大多數人僅僅注意總時數，卻沒留意到每單位時間的工作效率、用功效率。

我們藉由速讀法課程所收集的資料中顯示，一般人的平均閱讀能力是每分鐘四百個字。

此種閱讀能力，若學校成績中上的學生，每分鐘為六百～七百個字；若是較優秀的學生，每分鐘為七百～八百個字；若是相當優秀的學生每分鐘為八百～一千字；若是「超」字輩的極優秀的學生，則每分鐘為一千～一千二百個字（上述皆於未受速讀法訓練的情況下）。

每分鐘一千二百字的學生，其頭腦的處理速度十分快速，所以同樣讀一小時的書，他可以消化每分鐘四百字的學生其三小時的讀書量。

現在不再談這件事實，因為老談論要考上什麼大學每天最少要讀幾小時，或者要通過這個國家考試要花多少時間來準備，都是毫無意義的。

利用連結式速讀法，僅需數日的訓練，即可將每分鐘只能讀四百個字的人，提升至每分鐘最少二千～四千個字。

進步神速者，可進步至每分鐘一萬字左右的速度。

當然，這是指對所讀取的文章之讀解能力，把握能力並不落後的情況下。

假如上述二種能力十分低落，那麼速讀法的存在價值就等於零了。

■若說進步到什麼程度，只要想想未經速讀法訓練的超優秀者的閱讀能力頂多每分■鐘一千二百個字，便想像得到吧！■

■學成速讀法者對於最近的出題趨勢之長篇文章試題，很容易發揮。他們在答完全■部問題後，還可重讀二、三遍檢查出粗心犯下的錯誤，仍然剩下許多時間不知如何■處理。■

■此外，他們對於解答佔了國家考試、資格考試一大半的形式化之單選題，更是發■揮了出類拔萃的威力。■

■但是，當然不會發生「連不會的問題都會答」的奇蹟。■

■它僅是可以使只要時間充分便可答出的問題，在正式的考試中皆能答完，防止發■生因時間不夠，原本會答的問題卻無法作答的憾事。■

☆　☆　☆　☆　☆　☆　☆　☆　☆

您在剛才的十秒鐘內，到底可以看幾行呢？

下面備有檢查標準供您參考。

①未滿十五行……您完全不遵守指示。您忘了絕對不能讀中間的範文。

②～二十五行……您雖想遵守指示，但潛意識中仍有想讀的欲望，因而於不自覺中讀了範文。

③～三十行……您老實地遵守了指示。但過份在意要確實看見上下兩個■和每一行。

④～三十九行……您完全遵守指示，但由於眼部肌肉稍嫌運動不足，而使速度無法加快。

⑤四十行以上……您的成果不錯，很快就能學會速讀法。

消除觀念是使速讀法進步的秘訣

在二點閱讀中，至少需有三十五行以上才行。

否則在您腦中已根深蒂固的「文字是不會消失的」之觀念，是無法連根拔除的。

如此一來大概會有人提出異議。「不行啦！無論怎麼努力，我都不可能那麼快。」

但那不過是您過於抱著「自己要拚命以最快速來看」的觀念之故。

讓我們來做一個實驗。將手指舉至眼前並以適當的速度上下移動之，眼睛隨著手指轉動。

此時手指移動的速度不可以配合眼睛的轉動速度。

眼睛雖然拚命想趕上急速移動的手指，但怎麼都趕不上的話，那麼眼睛的速度僅能到達手指速度稍減的程度。

這就相當於在田徑訓練中以摩托車拉著選手，勉強其身體記住此速度的訓練；或者讓他與十分優秀、實力相差懸殊的選手一起跑步，要他拚命緊跟在後以提高其實力的訓練。

您在視線隨著手指上下移動的訓練中，於同樣的十秒鐘內可以往返幾次呢?

即使在上下二點閱讀訓練中結果為①未滿十五行的人，經此訓練後大概也應有三十至四十行的數目。

此外，由於上下二點閱讀訓練是僅看上下■符號而不讀中間的文章之訓練，故聰明的您應該注意到：如果全力以赴還沒有得到與其大致相同的數目，就很奇怪了。

雖然如此，仍然得到頂多一半的數目。

由此證明人類是多麼容易受有意義的文字影響了。

大家都讓自己的能力睡著了

經過持續不斷的連結速讀法訓練，不過數日即可以極快的速度移動視線。

以接受二天一夜的訓練之考生為例，大約有六成以上的學員在第二天訓練完畢時，一分

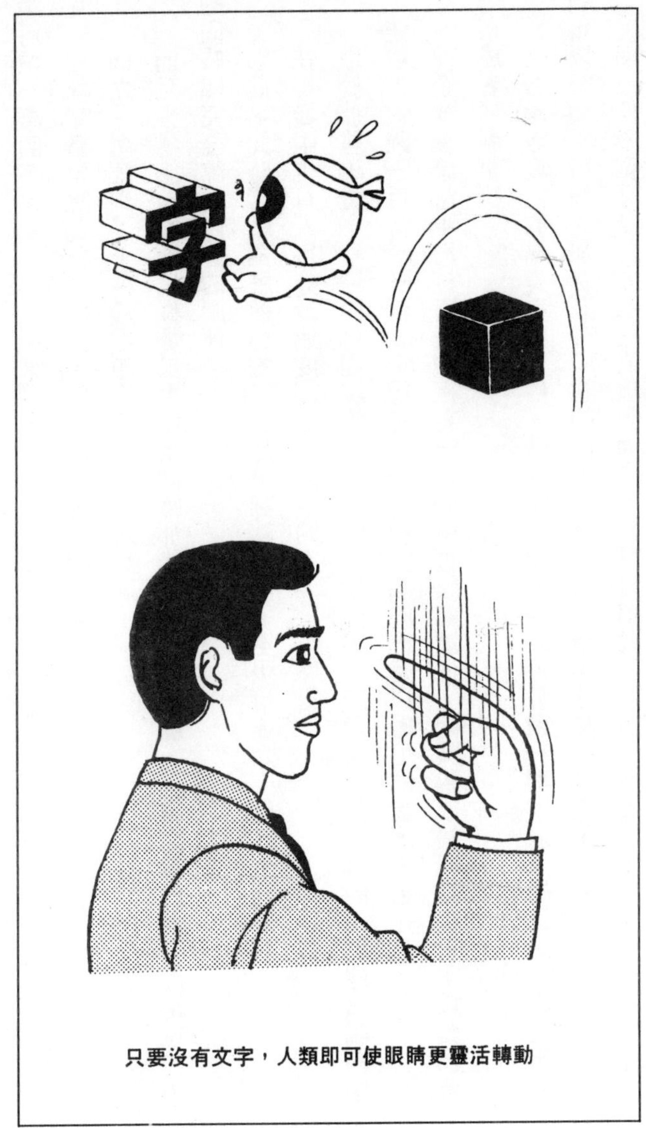

只要沒有文字，人類即可使眼睛更靈活轉動

鐘可讀一萬個字。

將該字數換算為行數的話，即一秒鐘可看四行強之速度。

總之，您達到了十秒鐘看四十行以上的超高速了。

而且上述訓練並非只做像二點閱讀訓練那般僅看上下兩■，不讀文章內容，而是在速讀的同時即完全瞭解內容的訓練。

因此，此時若做不讀內容的二點閱讀訓練的話，至少可達六十至八十行左右。

在學員中也有人每分鐘速度高達二萬字的人。

由於那些學員十秒鐘內可理解約八十行的文章內容，所以在不讀內容的二點閱讀訓練中，能以十秒鐘一百行、一百五十行等，令未曾受訓的人難以置信的速度遙遙領先。

像金式速讀法平均一百人中僅有一人能學會該速讀法，因其學成機率太小，所以難怪會對學成者另眼相待。

然若半數以上的學員在數日內，閱讀能力即進步到每分鐘一萬字以上的速度，由此事我們可以得知：每個人都蘊藏有相當的能力，只不過環境讓它沈睡未醒罷了。

而這件事實又為視力退化的重大因素，且息息相關。

一般的看書速度慢如牛步

一般人的平均看書能力是平均每分鐘四百個字，速度較快的人，頂多到達六百至一千個字的程度。

將此換算成一行所需時間的話，出於一行的字數有四十個字以上，故未受過速讀法訓練的人，要讀完得花上三秒至六秒左右的時間。

然已學成速讀法的人一秒鐘卻可讀四至八行，因此比較二者的速度，二者的差距簡直有如一流的馬拉松跑者的跑步，與在國會展開牛步戰術的議員的漫步了。

若以馬拉松的方式來跑步的話，腰腿的肌肉會鍛鍊得越來越發達。

那麼若以比散步更慢的牛步方式來走路的話，該位仁兄的腰腿肌肉到底會變得如何呢？大概會由於不需要而逐漸削瘦吧！

論及眼睛，也是同樣的道理。

明明一秒鐘能讀取四到八行（繼續訓練的話還能讀得更快），卻以其二十分之一甚至五十分之一的「超慢速」來閱讀，眼睛的功能當然會衰退、視力會退化也就不足為奇了。

如上所述，一般的看書速度幾乎沒有善用眼睛使得其功能退化；然速讀法恰好與其相反，它並非濫用眼睛，而是在最佳狀態下善用之，使得視力恢復或者消除眼睛疲勞，想必您已經明瞭。

留意重點置於何處

現在再將話題轉回二點閱讀。

有些人一旦注意僅看上下兩■而不讀文章，就會在正確地掃瞄上下兩■這件事上花太多的精神。

此訓練最重要的，是將「如何使文字快點消失」的感覺深植於潛意識中，因而要求盡量以快速度移動視線。

所以即使一不留神往前跳了一行，或者回到剛剛看的一行，也不必太在意。

反正人類的視野是很廣闊的，若不打算閱讀內容的話，便可看見範圍相當大的文字。

只要大致簡略地交互看著行首及行尾就ＯＫ了，佈置■符號的用意，僅僅是做訓練用的記號罷了。

那麼，請您再翻回先前印有範文的部分試著再挑戰一次，看看十秒鐘內可以看幾行。

要注意的是，不必一定要正確地掃視做為記號的■，還有也不必一定要依正確的行序前進。

之後請再返回此部分，閱讀接下來的指示。

若從高速減速為一半時

這次大部分的人應該都能看至三十行左右。

雖然最終目標是一定要達到四十行以上，但由於您以前沒有受過這種訓練的經驗，所以若為了勉強提高速度而不斷練習，眼睛反而會不舒服。

增加行數的挑戰先延至半天後或明天，現在進行下一項訓練。

這項訓練，即以先前的半速＝一半的速度，來掃視範文部分的各行。

換言之，就是在十秒鐘內可看四十行的人減半為二十行，可看三十行的人減為十五行，以此速度掃視各行。

這次仍不可閱讀範文。

請以等速並盡可能無意識地、如機器人般機械性地掃視上下■間的句子。

如此一來會如何呢?

不讀也能抓住意思

先提醒您,若是不做上述訓練而接著讀此說明,就學不成速讀法。

想要不使用電腦軟體教材,僅靠本書來學成速讀法的話,請不要偷懶,老老實實地遵照指示去做。

若將電腦軟體教材譬喻為電鍋的話,此訓練就相當是炒菜鍋。

連基本的炒菜鍋都不用的話,再怎麼易學的連結速讀法,也都不可能煮得出飯(學會速讀法)。

假如您降低一半速度,就會發生奇妙現象。您不需特意去閱讀理解內容,範文即自然會有某些程度的內容進入腦海中,而且輕而易舉便能理解其意義。

要百分之百理解可能有點勉強,但大致可以理解八成或一半的內容。若僅能理解二、三成的程度,請您再做一次以最快看一遍,再以其半速掃視各行的訓練。

製造文字消失的環境，使潛能活性化

您的潛能已於不自覺中活性化

如何？

藉此訓練，優秀的人應該能大略把握住範文內容的八成，一般人也應能把握一半左右。

雖然似乎過於嘮叨，但還是提醒您，一開始就貪心地想要「讀完範文就理解其內容」的話，您的速讀法便不會有進步。

反論之，亦必須體驗一下並無讀取的想法，卻能讀取內容的情形。

您的潛能在不自覺中活性化、高速化了。

雖說如此，除非相當單純的人，否則只會有受騙的感覺吧！

所以這次請您再翻回範文部分，以您以前的讀書方式，清楚地理解內容並且從頭讀到尾。然後，請您測試可以讀懂多少、及花多少時間讀完它。

範文的長度共有九〇行，未學過速讀法的人一行需要三至六秒，算起來大約需耗五至十分鐘方可讀完全文。

然您若確實依照指示方法來進行的話，絕對不需要那麼長的時間。快的人約二分鐘、慢的人也只要四分鐘左右，即可從頭到尾讀完。

這與電腦軟體教材訓練的原理相同，硬製造出一個文字會消失的環境，而潛能為能趕上它，便使本身活性化、高速化。

此即連結速讀法中之即席速讀法的真正效用。至於有關使此效用不僅做為敷衍了事用、能維持其功能、甚至可學成更快速的速讀法的訓練方法，稍後會加以說明。

第三章　速讀法的意識革命

維護能力所需的意識革命

學會速讀能力不只是為了臨陣磨槍，要如何才能繼續維持下去呢？要如何才能更進一步提高能力呢？

我們需有這種觀念，認為意識上的改革比速讀訓練還要來得重要。

所以，有的人完全不接受訓練，只是與人談論有關速讀法的根本原理，就能靠自己的獨創見解與竅門而自己學成一套速讀法。

所謂的意識革命，直截了當地說就是文字最初是以音讀來逐字逐字的念，因為一直都是如此，所以當不再被迫接受音讀訓練後，仍然會規規矩矩的逐字閱讀，這種觀念意識必須破除。

這在第一章中提過，聽起來簡單明瞭，但實際上做起來卻是困難重重。

來自電腦軟體的教材

現在就一邊針對電腦軟體教材的內容做介紹，一邊說明意識改革的必要性。

軟體教材的最初階段有「描字讀」一法，其文章以低速、中速、高速、超高速等四種速度來顯示，已略述於前。

而文章的架構方式又以在螢幕上顯示一行、二行，或三行而分成三種。以低速、中速這種可以輕鬆讀取的速度，執行一次只讀一行與一次讀三行的方式，在難易程度上並沒有什麼差別。

那麼在速度上以相同方式將之提高到高速、超高速時到底會發生什麼現象呢？

開始速讀法訓練時，因為誰都還會有逐字閱讀的習慣，文章不管是一行也好；三行也好，因為都是從開頭依照順序一直讀下去的關係，所以不會產生難易程度上的差異。

因超高速閱讀而首次發覺無意識的補助作用

會有前述的觀念，皆因成見所造成的錯覺。

實際上第一行本來就比較容易讀；而第三行較難讀。

因為是逐字依照順序「描」讀的關係，讀完第一行要開始第二行時，意識力便已離開第一行了。

同樣地，在讀完第二行要開始第三行時，意識力便距離第一行、第二行越來越遠。

既然如此，那讀取時難易程度上的差別又是如何產生的呢？

確實，以意識層次來講，是按照讀完一行後再讀第二行，讀完第二行後再讀第三行的順序進行的，但這種持續的閱讀，在人的無意識中，必須執行一種增強記憶的動作，即必須再重新讀過一次已通過意識的第一行、第二行使其在人的記憶回路上固定下來。

那是因為我們知道文字出現後，在人的記憶中消失的速度很快，光以意識來掌握是很困難的，所以，我們會本能的啟動無意識回路。

速讀法的訓練為極度運動性

我們試將速讀法與運動的訓練比較一下，便能很快的理解。

例如，在旅館的桌球台上打乒乓球的外行人。

以外行人的水準來看，因為球速很慢，所以能有充分的時間來辨別考慮對方所發的球後再動手。然而，若是參加全國大賽、亞運或世界大賽的一流選手們所打的桌球，如果要經過思考後再打球，根本就來不及了。

當然，我們是以意識去猜測對手的動向，但是如果不重視增強本能反應及啟動無意識回路的意識部分的話，則一定打不過對手。

然而，有人會問，如此一來我們會不會忘掉使用無意識回路的能力呢？相反的我們不僅不會忘掉，反而會更牢牢記住。

人類即使在使用無意識回路時，也能充分地使用記憶。

因此，就因速讀可充分地活用這種特性，所以速讀法的訓練中，已包含了極度運動性的要素。但是，以讀書這件事來說，我們有種先入為主的觀念，若不使用意識便不能掌握書本內容，更無法記憶。

首先，我們必須要打破這種觀念，學習速讀法，必須要有意識革命。

此外，這個觀念也與閱讀導致視力退化的情形有著密切地關連。

維持廣闊的視線範圍

尚未學習速讀法者，慢慢地看，便可只以意識層來充分地掌握、記憶內容的一直讀下去。

因為不需要特別增強無意識回路，所以已讀過的部分，我們會啟動自動取捨選擇能力，將之摒棄於視線之外。日復一日以此種方法來閱讀，漸漸地，自動視線範圍及有效視線範圍會愈來愈狹窄。

如此一來，由於利用無意識回路來重讀的比例漸漸減少，故開始要求意識只能讀一次便要掌握、記住內容。

腦細胞的局部性負擔因而大增，也提高了緊張度，造成精神上的負擔。

也因此，讀書的速度反而變慢，再加上負擔過重，使眼睛更加疲勞，而引起視力退化的雙重打擊。在此所要強調的是，閱讀時要讓視線範圍保持在最寬廣的狀態。

活用無意識回路

若將視線範圍保持在最寬廣狀態下來進行閱讀的話，大抵誰都能讀取以意識所在處為中心之左右兩行以上。

這麼一來，會發生什麼情況呢?首先無意識回路會先讀前兩行，之後即有意識地閱讀，而無意識回路甚至會以後續的方式來反覆閱讀。

這樣三次正好，因為人類以更多次的反覆閱讀，在意識與無意識的互助協力下，更能快速地閱讀，也較易於記憶。

訓練連結速讀法的教室裡，偶爾會出現進步神速的學員，這些人自一開始他的自動視線範圍就特別比普通人寬廣三至四倍。

由於先從無意識回路反覆閱讀四、五次之後，再由意識閱讀此部分，因此即使是初次閱讀的文章，也會有某些程度的預測或備用的知識刻在潛意識裡。

所以就某方面來說，能夠讀得快也是理所當然的。而我們必須活用此原理。

上述中所謂有效運用無意識回路，以及利用無意識回路先行閱讀及反覆閱讀，皆是以讀者們易於理解的方式來表達的；然而，在大腦生理學中，並非是正確的表達方式。

實際上那是充分活用大腦的檢索及追尋功能。那到底是什麼功能呢？

猜謎節目有速讀法的暗示

在電視朝日電台放映的猜謎節目裡，有一種叫做「啟發式猜謎」的遊戲。

節目一開始，便有將人的照片撕開分散，讓您猜猜那是誰的猜謎。

此外，在節目進行至最高潮時，就有利用相同原理，將照片撕成數片，來猜測另外放置的物品為何，以及拍攝一些讓人不易看出的舉動，讓您猜猜是什麽動作之類的猜謎遊戲。

首次見到的人，大多非常吃驚，而正式參賽者卻都能完全猜中。

若只是瞎猜的話，是不可能答得如此巧妙。

這些得意的正式參賽者，是藉由訓練來鍛鍊大腦的檢索功能，方體會出這種活用法。

所謂檢索功能，是從以前經驗累積的知識中檢索，並找出和眼前所見的現象相符之處的功能。

何謂檢索功能？

恐怕有人還難以理解吧！那麽再舉個更貼切的例子。

例如，犯罪現場上發現犯人所遺留的指紋。

警察局將這指紋送至記錄室，和過去的犯罪記錄做核對，查看是否有相同者。

而核對的動作，即所謂的檢索作業；而所保存的衆多記錄，等於是大腦內的記憶及知識。若利用人力來核對指紋，則必定要花上相當多的時間，而且還可能會有遺漏。近年來因為引進電腦而提昇了功能，僅需十幾分便能查尋完畢。

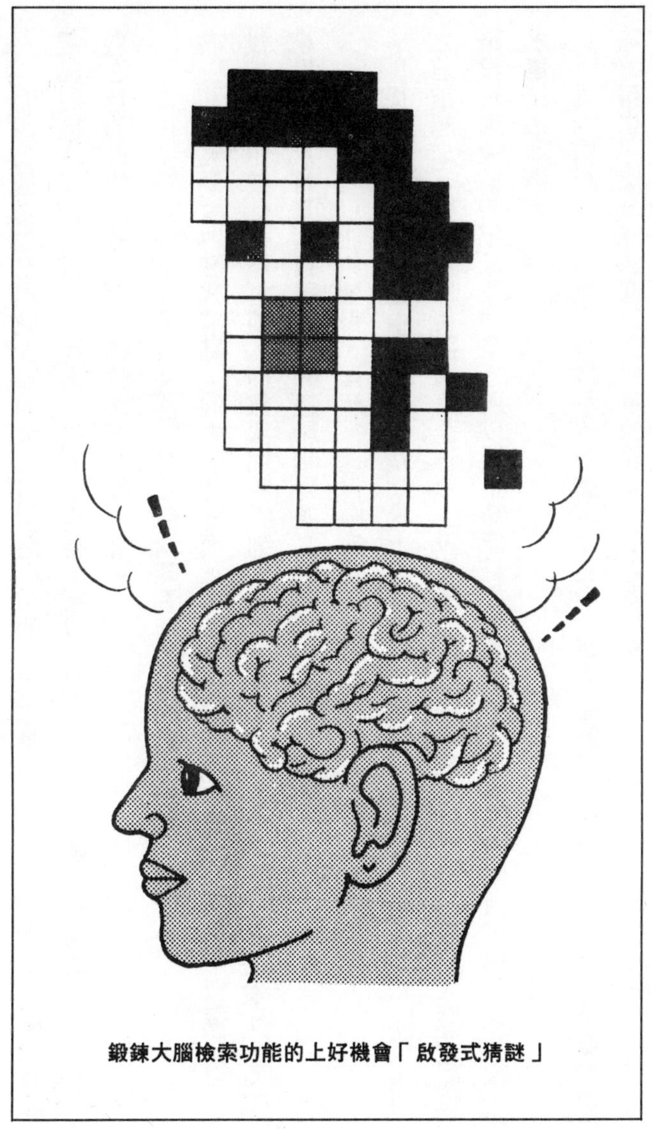

鍛鍊大腦檢索功能的上好機會「啟發式猜謎」

而電腦最初也是模倣人類的大腦所製造出來的，所以身為原版的人類大腦，必具有超乎電腦的檢索能力。只是，因為一般人不需要，所以除了現在參加「啟發式猜謎」的正式參賽者之類的人們以外，大多將此功能閒置不用。

為了要有效地活用檢索功能，必須能同時看清很大的範圍。

初次見到「啟發式猜謎」的人，皆驚嘆正式參賽者的巧妙作答，他們之所以佩服得五體投地，是由於他們不習慣，而無法同時看到大範圍的畫面，例如，將畫面切割為四分或六分來看，而欲將其與自己過去的經驗相對照之故。

人類之所以能夠讀書、理解掌握書中內容，實際上皆依靠大腦的檢索功能。

從大腦的記錄回路中拉出與映在網膜上，所讀取的文字資訊一致的記錄、知識後，再將之連結起來。因此，即使閱讀完全不熟，沒有學過的外語書或外語文獻，因為大腦的記憶回路沒有應連結的記錄及知識，所以檢索功能只好空轉不停，如果不查字典或向別人請教，則永遠無法理解。

就如同無法在電氣店所展示的新型電冰箱中，拿出海鮮或任何食物，就算那是超大型的電冰箱也一樣，無法取出任何東西除非先裝入食物。

若稍加思考一下便能明白這是理所當然的，速讀法到底並不是一種為求閱讀速度超越常人的技巧之如意萬寶槌。

其他的學派打出如果學會速讀法，就連以前不懂的文章也能理解這樣的宣傳方式，是為了吸引善良單純的讀者，藉以騙取學費為目的的誇大不實廣告，其實是沒有科學根據的。

若有此類的速讀教室，不管是日文或阿拉伯文或印尼話，通常都是以一本看不懂的外文書讓講師或負責人試試看。大概都不會有奇蹟出現。

如果有奇蹟，那麼我們就拆下連結速讀法的招牌去學吧！

看書時也要活用檢索功能

回到原來的話題吧！我們希望讀者能夠了解一件事，就是在看書的時候，是以大腦的檢索功能來理解內容的。

但，那僅是單純的使用功能而已，談不上是充分地活用。

因以前在小學所教導的音讀習慣，使我們啟動自動取捨選擇功能，將集中意識閱讀以外的行數摒除於視線之外，因而對於其他不需要的行數，便不啟動大腦的檢索功能。

如此長期持續這個習慣，則逐漸造成大腦檢索功能鈍化的現象，也使檢索範圍愈來愈窄。這與前述的自動視線範圍之間的大差距有所關連。

維持廣闊的意識自動視線範圍

自動視線範圍狹窄的人，只能在有限的範圍內啟動檢索功能，如果碰到像「啟發式猜謎」那樣需要廣闊的自動視線範圍問題時，就得投降了。

自動視線範圍一旦變窄，便無法那麼輕易地擴大，因此會愈變愈窄，目前唯有全面性的活用自動視線範圍，以啟動大腦的檢索功能。

也許您會覺得像是在發表高論，但不過是以集中意識讀取為主，將其前面的三至五行及後面的三至五行清楚地放入視野中，維持這樣的狀態來閱讀罷了。

如此一來，映入視野的極限必然迫使大腦轉動檢索功能，開始核對在過去的經驗或記憶中，是否存有應連結起來的資訊。

那是人類自己本身的自覺，即先以無意識回路閱讀，然後再以主意識重讀，最後再採無意識追加的方式反覆閱讀。

在掌握、理解映入眼簾的文字內容之前，就算是再閱讀下一段文字，也是會有辦法追加讀取之。此外電腦軟體的「描讀」的三行訓練中，較易理解已通過的行數之現象，也是有某些範圍利用了啟動大腦的檢索功能之原理。

但是在開始訓練速讀法之初，怎麼也無法戒除以前的讀書習慣，因此很多人會猛然察覺到，在不知不覺中已將意識所在以外的行數。摒除於視線之外。

在教室直接面對面學習、或利用電腦軟體教材或錄影帶教材學習時，時常能夠測試習性而加以矯正，但本書卻在自修的情況下有意識地自己進行測試，一旦發現問題，也只靠自己努力的視野拉回寬廣的狀態。

這主要也是習慣的問題，如果不斷地持之以恆，數日後不管再怎麼頑固的人，也可在一個月內幾乎不累也不痛苦的，維持寬廣視野的狀態來閱讀。

這樣一來便能很快地練熟速讀法，減輕眼睛的負擔消除眼睛疲勞，慢慢地視力便有恢復的現象。

向即席速讀法訓練的再挑戰

這個說明，應該多少會改變您對閱讀的意識。

有關前面章節所介紹的，即席速讀法訓練內容及方法，即使您原先什麼都不懂只依照方法去做，那麼您也應該會有能夠理解些許部分的情形：「啊！原來如此，原來是這樣的啊！」

右腦型的人即使不理解理論，也能收到不錯的效果，而左腦型的人中，了解理論後再做的人與不知道其道理，而胡亂摸索的人之間會產生極大的差別。

因此，希望您能再次挑戰看看前述的「上下二點閱讀」以後的訓練。

光就以改革意識這點來看，應該會使速讀法進步神速。

結束再度挑戰後，就要進行更高度的速讀法訓練了。

超高速翻頁訓練

利用上下二點閱讀法，所能達到的速讀速度必定有限。

這是必然的道理，因為人絕對無法超越訓練速度的。

為了能向任何人大聲誇說已學會了速讀法，並成為自己的一項才能時，則必須要再加以超高速的訓練不可。到底是什麼呢？就是將開始介紹的「超高速翻頁訓練」。

可能的話就從現在開始準備一本另外用來訓練的書，則做起來較容易。

請準備一本某小學低年級用的童話故事之類的書。

重點不在內容的簡易，而是大印刷字體能迅速的啟動大腦檢索功能，能縮短看過的文字與意義連結的時間。

在訓練開始之初，如何才能縮短啟動檢索功能的時間之問題，為速讀法快速進步的關鍵點，因此再怎麼麻煩費事也不能偷懶不做。

並非使用普通的文庫本或新書便無法增進速讀法，而是要求達到相同水準的話，則需要花上二、三倍的時間。「欲速則不達」但也不要太過於偷懶才好。

尋找訓練用的書最好不要精裝本，因其既累贅又不好翻頁，最好選擇如本書這種柔軟的平裝本。到底是怎麼訓練呢？以右手托著訓練用書的中間部分或稍微下面一點的地方，再以左手拇指快速翻頁。

若是左撇子的話，不管是從書本的哪一邊（此書符合自所需條件），只要能快速地叭啦叭啦檢索式的翻頁，則翻頁的方式就使用一般不常用的左手吧！此為翻頁訓練。

剛開始無法習慣總會使出額外的力氣來，因此儘可能地放鬆肩膀，以輕鬆的感覺來挑戰看看。

從頭到尾約二、三百頁的書，以○・三～○・五極短的時間內，咻——一下子翻完它。

請各位想像老手的銀行或郵局的職員快速點鈔時，或魔術師靈巧的操作撲克牌之類的小道具時的模樣，希望可以讓讀者了解應該要怎樣做。

要在○・三秒至○・五秒內翻完全書，這樣說法似乎令人摸不著頭緒，其實是在十秒內能從頭到尾反覆翻上二十回或三十回。

最後要強調的是重點不在閱讀內容，因此即使不那麼嚴格執行也沒什麼大礙。大約達到百分之八、九十的程度就算很好了，剛開始是使用U字形。

訓練的主要目的是藉由快速翻頁的同時，將文字快速消失的感覺深植在潛意識裡。若習慣後，就能翻上將近四、五十回了。

超高速翻頁訓練加速閱讀速度

這種超高速翻頁的訓練，雖不需花太多腦力，可是一旦遇到比賽狀況時便不會再呆楞住了。剛開始接受訓練者，並不包含左撇子的人；十秒內也只能翻五至八次而已。

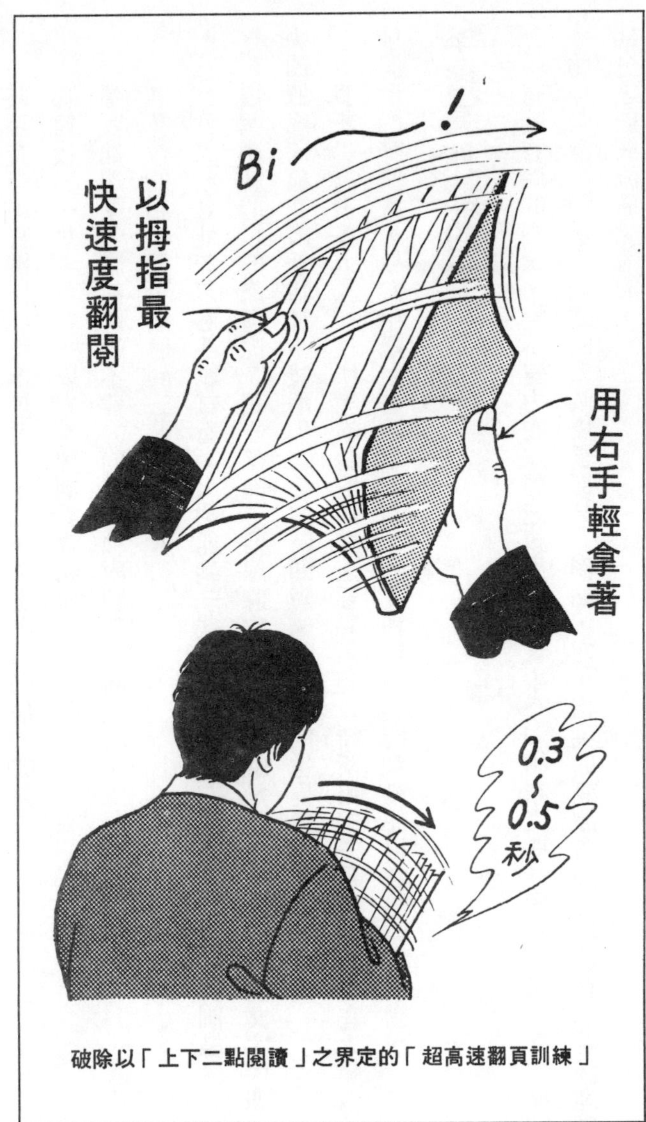

破除以「上下二點閱讀」之界定的「超高速翻頁訓練」

甚至有老師直接指導反覆練習者，頂多不過多出一倍的成效來。

那麼換另一隻手拿書，以右手翻翻看會如何呢？

這就簡單了，誰都能毫不費力的在十秒內翻二十回左右。

若算快的話，還可加速到三、四十回。

在此希望您能先以右手試試看，大約抓到一些印象後，再左手來試試看翻頁訓練。

這個訓練的目的為何呢？其一是為了要鍛鍊右腦，其二就是現在所講的要將文字快速消失的概念深植在潛意識裡。將消失之前的時間短縮至極小的世界為止。

我想仍有很多人未抓住所謂右腦的訓練之要點，翻頁時所用的左手，因神經在大腦內是依X形的交叉狀，故左手是由右腦掌管的。因此利用指尖的刺激使得右腦開始活動。

手指是外部的腦

有關右腦的訓練，『不費力的左腦速讀術』一書中（卡帕布克斯）曾詳述過，指尖接受了物理刺激，則承受刺激的大腦皮質部分；例如，左手指尖的刺激會使右腦的控制手指運動部分之血液流通量增加。

這麼一來，在連鎖反應的情況下，鄰近的負責認識圖形或知覺部分之腦細胞，也因而活躍起來。

例如，馬拉松賽跑，就算您只打算使用雙足，也會引起連接的腰或腹之部分肌肉的連鎖反應而發熱起來。所持之道理是相同的。

從外表看來，我們會認為指尖和大腦的思考活動是完全沒有牽連的分離體，但只要你稍加觀察一下就會發現它是「鄰居關係」。

因此，「手指是大腦外部的一部分」。

這種珠算老師的說法，不一定是毫無根據的，反而是大有根據的事。

相信誰都了解在潛意識內灌輸文字快速消失的觀念，及二點閱讀的訓練，但是老實的說，就算是說明超高速翻頁訓練的道理，一下子就能理解的人實在很少。

為什麼呢?這就如同棒球聯盟的候補選手，他們大多是剛入球隊的低年級選手，在練習打擊訓練時，就突然要他們練打快速投手所投的快速球一樣。

不要說是擊中球，甚至連要看清球路都很困難。

要點在於實力的不同，及感覺的差距太大。但是，真正純熟的速讀法不只是這樣而已，要對不管是什麼內容的書，都能看出其大略的意思或細微的差別。

認為這世上沒有這樣速讀的有名高手，信與不信都無所謂。

您不久就會明瞭，因此希望您加入此訓練。

能漸看清看不到的文字

因為是超高速的翻頁，快速翻過的文字只能掠過視線。當然是無法看到什麼文字。

這道理與搭乘火車，從窗口看到快速向後移動的枕木一樣，無法清楚的辨識到底有多少枕木。又如生平第一次站在打擊區上，想看看職業投手的快速球，然而卻只是聽風聲一樣。

因為沒有必要看清楚，所以便埋沒這種能力而導致看不見。雖說是看不見也不要輕易地放棄，其實只要一直持續的凝視著，終究還是可以看得見枕木及球路的。

超高速翻書訓練也是一樣，以看不見的速度不斷地重複翻書；不斷地看，數分鐘後功能活躍起來，會產生突然之間可看得清文字的現象。

若為了看清看不到的文字，而減輕翻頁速度，便毫無效果可言。

在電腦軟體教材的訓練中，因在超高速的模態下無法讀取，而會將速度降到次一級高速的模態下。

這樣的話，則無法給予一直處於睡眠狀態的潛在能力活性化的刺激，根本無法進步。

在十秒內翻頁速度未達十次者，問題不在是否將潛在能力活性化，而是在一開始，誰都能夠清楚的辨識通過的文字（當然並不了解文字的意義）。

因此使潛在能力活性化的刺激之衝擊並不大。所以一開始便要求以平常不能辨識的速度，將二、三百頁的書，在〇・三至〇・五秒之間翻完，儘可能再縮短時間。

不能急躁的想讀懂文字，切記「欲速則不達」。

將潛意識更高速化

在開始訓練的第一天，我想再怎麼努力，十秒內充其量不過翻十五次左右，最多也不過二十次左右吧！如果一直停在這步驟上，那麼短時間內要學會速讀法是很困難。

大體上欲學會速讀法，若過於拘泥細節，是會妨礙進步的。

「拘泥細節」會使右腦煞車，不知不覺間便窄化了自動視線範圍。將在十秒內翻三、四十回或更多的翻頁速度，視為數日後要達成的目標這樣的循序漸進。

總之，邊做超高速翻頁訓練，邊努力辨識文字，終會在數分內看得到的，當然無法辨識部的文字。若能充分地在每部分看清數個文字，即使將全書分半或三分之一，視個人程度就算是百分之十也不要緊。

以此訓練將「文字不會消失」的這種潛意識改換為「文字會消失」，而且是「會在極短時間內消失」的觀念。

以電腦軟體的教材訓練而言，大概會產生相同的情況。

低速、高速雙方向的銜接

但若現在停止訓練，半途而廢者無法學會速讀法。

棒球聯盟的新進選手，若只讓他練習打擊職業快速投手的快速球的話，那麼就算揮棒千次也不會打中，完全沒有進步的情形下結束。

道理是一樣的。若欲打擊者進步，讓其眼睛能習慣快速球也是一重點，以適合打擊的慢球，或以自動投射器來實地練習亦很重要。

總之把速讀法譬喻為棒球打擊的話，則前面所介紹的二點閱讀的訓練，便相當於慢速球的打擊練習一樣，而高速翻頁訓練就如同快速球的打擊練習。在練習打擊的情況下若能打中慢速球，則漸漸增加投球的速度，最後即使是超高速球也能打中。

速讀的訓練也一樣，彌補二點閱讀與超高速翻頁訓練之間的差距，最後以兩者合而為一為目標。即為從高速與從低速雙方向來進行。

使能力活性化、使眼睛習慣高速度，如果在超高速翻頁訓練下可認識數個文字的話，接著便減半翻頁的速度。在十秒內應可翻二十至三十次者，減為十至十五次（怎麼努力也只有十五次者減為八次左右）。

這麼一來，速度減慢一半，眼睛凝視各頁的時間倍增，當然以這樣的比例理論上可辨識的字數也增加了。

根據之前的情況，文字會在剎那間消失，只要想看多少都能看到一些，因此會希望能在消失之前讀取之，這種與以前相反的概念已在您的潛意識中萌芽，而且越來越強。

可看勿讀

在此提醒光以書本來自修速讀法的人，因存有一個極易陷入的大圈套，所以必須事先注意不可。那就是徹底的只看、掃描文字而不讀取文字。

看文字與讀取文字似乎相同，實際上是極大不同的。

從看文字的情形來說，一旦有想要讀取文字的欲望，若回到以前逐字閱讀的長期習慣，則會使視野窄化，而不能活用自動視線範圍。

則只能在一半或三分之一有限的狹窄之自動視線範圍內閱讀文字了。

也不是說那樣便完全無法速讀，只是進步程度充其量不過是停留在二倍的程度上。

只要下工夫努力不使自動視線範圍窄化，誰都可以輕易地增進五倍到十倍的速讀倍率。

如確認自宅般的看著文字

為了讓讀者了解不讀取而只看文字的意義，在此舉一個較貼切的例子吧！

您從公司、學校、或購物後回家時，如何去確認自己的家呢？

您完全不使用意識，只是漠然地眺望家的外形構造來確認之；而且我想您在走進玄關時，並沒有「進行確認工作」的自覺吧！雖是如此，不管是住在住宅區或是集團建造的銷售屋，不包括鄰近的兩個相同的建築，也絕對不會把家弄錯了。

這是運用大腦無意識時的檢索功能以識別自己和別人的房子。

活動此功能時，人類才不會窄化視野。

您在辨識自己的家時，應該不會依先是屋簷的顏色、而後天線的形狀、再來水泥牆的樣子、玄關的形狀等等這樣細部分化的方式才對，應該是一次就看到全體的。

如果要用細部分化的方法，也只有在拜訪偶爾去過的朋友家時，「這是友人的家嗎？」將以前拜訪過的印象拿出來核對的情形下才用的。

而非細部分化的方法，就如同回家時眺望自己的家一樣，因此希望讀者一邊翻頁，一邊看著各頁中所列印的文字，不可勉強讀取之。

哪！再回到翻頁訓練的話題吧！

接下來有關翻頁訓練須注意的要點是，要一頁頁準確地翻。而且翻頁的速度不能有忽快忽慢的凌亂情形。在超高速的情況下，以平均速度來翻頁並不困難，但要使速度漸漸的慢下，就愈來愈困難了。

尤其是左手，因為平常是不用左手來做精密的動作的，所以指尖的感覺不洗練反應遲鈍，無法一頁頁確實地翻過，有時候一翻就好幾頁。除非是超能者，否則絕對無法閱讀印刷在飛馳而過頁數上的文章，因此必須要集中神經確實地一頁頁地翻。

利用大拇指，嚴格地訓練利用紙張微妙的受外力的彎曲反彈力來翻頁。

在意識下的某處翻頁

當您注意到您是左腦型的人時，心中最重要的事便只有確實地翻頁，其他念頭完全自腦中消失。這樣是不對的。

您最終目標是速讀書本，而非確實的翻頁。所以重心所在原則不能低於這個程度。

將話題拉到前面那段確認自己的家之例子，漠然的看屋子的全體構造般，同樣的感覺來看書本的所有頁數之這段話。

接著打開玄關的門而進入室內，這些動作也並非特別的事情，應只是無意識的動作罷了，希望讀者能利用這種無意識的動作來翻頁。

當然剛開始都比較難，但那是習慣問題，誰都可以在數日內做到。

眼睛如相機般的無意識化

能夠識別的文字數目應會慢慢地增加，因為是在一秒或二秒內翻完二、三百頁的書，所以仍然完全不知其意。如果知道的話，便是奇蹟。

因此，眼睛的使用法，就像一直按著高級連拍相機的快門一樣，依序的將快速流逝的各頁，照射在視網膜上。

這樣寫還是有很多人誤解而欲讀取文字，不如將自己比喻為無生物的照相機，以誰都能運用的感覺，在無意識的狀態下眺望每頁。

雖映在視網膜上但不懂其意，感覺好像是完全無意義的行為，但即使無法察覺意識，潛在能力也會因欲讀取消失的文字而活動起來，持續啟動大腦的檢索功能，因此讀者們大可安心。不切實執行訓練，而只是有興趣地讀讀本書文章者也許不相信，但當您接受二點閱讀訓練後再讀到此處時，已有一些自己的體驗應該會相信的。

在這階段和挑戰二點閱讀時「在限定的時間內到底可以向前看多少行？」的道理相同，使沈睡狀態的潛在能力無意間覺醒，充分地活用大腦無意識的檢索功能，這便是訓練的重點。但是，因其在終止運作檢索功能後，並且連結文字及意義之前，仍繼續不斷的閱讀下頁，所以會沒有已學會速讀法的感覺。

同是翻頁訓練，可是卻將速度降得比中等速度還要慢，恰好是用完十秒的時間，從第一頁翻到最後一頁。在前面應該寫過，放慢速度後再放慢速度，頁數不再是快速飛馳，而是以固定的速度翻動，這是很困難的一件事。

書的紙質及其裁剪的好壞對翻頁也會有影響，時常會叭啦叭啦的二頁三頁一起翻過去。剛開始當然不太懂得技巧，您不需要因為做不來而懊惱歎氣。

配合自動視線範圍來移動視線

由於速度放慢，則視線停留在紙頁上的所需時間便增加了。

因此，在前階段中所述的「將眼睛視為連拍照相機一般的讓每頁映在視網膜上」，但希望你能儘量縮小攝影範圍。只能看到圖版頁的一頁者，請儘量讓視線能夠看得到圖版頁的左右兩頁，而若能看到左右二頁者，則讓視線集中在一頁詳加細部分化之。

總之，為調整視線鏡頭。

高速度的時候，一頁只能看到某一部分那樣的翻看下去，例如，視線依V字形的移動。V字形移動困難者，那麼視線以右上、左下般飛跳至下一頁這種「鋸齒狀閱讀」的方式

以V字形或W字形……便利閱讀的方法來調整鏡頭攝影。

來移動也可以。

總之，按照個人方便執行的方式，儘可能仔細的以眼睛照相機調整鏡頭來捕捉每頁上所列印的，快速流逝的文字；並減少每次拍攝的文字數量，皆為重點所在。

切記，很多人會扭曲「希望讀者努力做」這句話的意思，而誤認為是要讀取文意，其意絕對不是讀取文字，而是凝視文字。

在那種情形下何以能快速的移動視線呢？這是因為充分地有效活用自動視線範圍所致。

以自動視線範圍掃視整頁

如前面所述，即使感覺可看得到自動視線範圍以外的文字，也仍然無法辨識清楚。如同未對準焦距而拍攝的照片文件一樣。

閱讀看不清楚的文字也無法馬上理解其文意，因此，必須將之全部放置於自動視線範圍內。自動視線範圍就如同一把看不見的刷子。用這把無形的刷子來塗掃整頁。

如果能在有限的短時間內以自動視線範圍掃視過整頁的話，即使意識無法理解文章內容，大腦也會對這些文字啟動了無意識的檢索功能。而掃視不到的文字部分，即使似乎看到了，實際上是視而不見的，因此不在大腦檢索範內。例如，視線若以V字形移動，如同文字所示只是一個例子而已，只要能以自動視線範圍掃視整頁，或可掃視最大面積範圍的話，則視線以何種方式移動都無妨。

為何要特別寫出這種「笨拙」的提示呢？那是因為很多左腦型的人弄錯目的及方法論，而在無意間將方法視為目的。就拿現在來講，視線的V字形移動這個動作並非是一個目的，而是增進速讀法的一種手段；一種技巧而已。

但是個性耿直的左腦類型者，卻認為「一定要規規矩矩的按照V字形來移動視線不可」，這樣一來反而把速讀的這個重要目的給忘了。

欲讀取的念頭會阻礙潛在能力的加速

再繼續翻頁的話題吧！當放慢翻頁速度時，多多少少會有一些「想要理解文章的意義或內容」的欲望，但不可以如此。

喚醒並增進潛意識是訓練的目的，因此一旦注意力轉向讀取文意，則將是一大阻礙，速讀也無法進展。

除此之外，還要反覆的提醒您切記，當放慢速度時，可看清的文字數會增加，因此有些人必定會這樣想：「我是為求閱讀書本才接受速讀法的訓練的。那麼現在就躍級先試試看讀取訓練，不是也可以嗎……」

這樣自作主張隨意變更內容的想法，特別是左腦型的人有更顯著的傾向。

但是也不能將過多的注意力放在不能讀取這件事上。

考慮過多的話，即使活性化了潛在能力而可以讀取文章時，也會動不動就誤認為：「啊！我又做了不該做的事了，真笨哪！」

因而束縛了活性化的必要能力，動彈不得。

雖然不可放慢速度企圖開始做讀取的訓練，但若是不經意的理解了文意，也沒有關係的。可在不經意的狀態下讀取文章，乃速讀法的理想、神髓。

無意識的閱讀和不讀有很大的差異

我想讀者會覺得矛盾，因此利用此頁來詳細說明一番。

速讀法的神髓，即本書一直反覆敍述的充分地活用大腦無意識的檢索功能，來讀取文章，也就是「無意識閱讀」。

右腦型的人能會心的領會其間微妙的差異，但左腦型的人卻會產生相反意義的誤解。

什麼樣的誤解呢？即「無意識閱讀」＝「不讀」的誤解。

那是一種先入為主觀念的偏見，即若啟動無意識的檢索功能來閱讀的話，則無法理解文意。因此要理解所看到的文字意義、儘管依循正確的途徑，也會給人一種偏離正道的錯覺，如同偏離了目標，在沒有目的方向的叢林內迷路一般，一直在繞著圈子。

並非如此。如果無法理解文意，那是因為沒有啟動檢索功能。

速讀法在某方面具有極運動性的要素，以運動為譬喻便容易了解。

例如，初學者的「旅館乒乓球」，就是尚未學會速讀法者的閱讀方式。

因為是以意識控制球拍打球，所以，只能在極有限的範圍內運用意識。

而大腦的無意識檢索功能，卻沒有運作。

因此雖然打者非常認真的在打球，可是手腳動作凌亂姿勢或樣子非常「不雅」。

那麼若是技術不錯的人會是什麼情形呢？

無論是揮動球拍的手部動作、或另一隻不握球拍的手部動作、腳部運步動作、扭腰動作等，皆是充分活用了大腦無意識的檢索功能，將意識中心放在讀取對手的動作或球路上。

因此可捕捉極廣範圍內的動靜，亦可同時處理複雜多變的動作及資訊。

無意識的檢索亦可存留於記憶內

這一連串的動作，皆是為了活用大腦無意識的檢索功能，那麼自己本身豈不是無法認識、理解、記憶？不，並非如此，會更具體的認識、記憶。

依據不同場合，自己在什麼樣的比賽時採取什麼動作，在記憶中能夠停留數十年程度的時間。一流運動選手的回顧談或回憶錄之類，都是利用檢索功能這種大腦的優越特質。而速讀法也是活用此功能。

集中意識的讀法，也就是各位目前的讀法，其實只是循序逐字讀下去的方法。然而若淡化意識，活用大腦的檢索功能來速讀的話，甚至可以同時且瞬間的認識、理解廣範圍內的字群。

不會的人如同桌球的初學者，無法運用神經同時的揮動球拍、運步、扭腰一般，只不過是尚未習慣、尚未接受訓練罷了。

這個例子應該能讓讀者或多或少理解速讀法的神髓、微妙的神韻吧！

當然，運動和閱讀在本質方面差異甚多。

其中最大的差異是有關掌握資訊的同時性。運動是身體的動作，照字義是四肢同時的動作，沒有前後關係，但列印了文字的文章，則有前後關係。

一般的書本，第一行讀完讀第二行、第二行讀完讀第三行……若不依照這樣的順序閱讀的話，則無法理解。但若精通速讀法的話，則可以同時讀取。

總而言之，所謂的金式速讀法，為一眼可以讀取全頁的「一頁讀法」而我們的連結速讀法也是如此，最精通的高手可以一眼看完文庫本那樣大小的書。

一頁讀法是否真實？

果真是事實嗎？以理論堆砌理論，一有不懂之處就不罷休的左腦型人物，對同時讀法、一頁讀法存有懷疑之處。於是以不贊同的立場，對速讀法也採取否定的態度。就正確的觀點上來判斷，兩者都對。

例如，您對電視影像的轉換有多少認識呢？

電視的影像為數字化傳送，所以並非一次就轉換畫面的全部影像，而是從掃描線的邊緣開始，依序地轉換新的影像。但是因該轉換速度遠超過人類的知覺能力，所以我們會以為整個畫面原封不動的，不斷地轉換成新的影像。

想要看清自掃描線邊緣開始依序的轉換，那才是根本就辦不到的事。

即使沒有達到速讀法一頁讀法的地步，但是可歸納或數十個文字來閱讀的「區段讀法」，實際上也與電視影像的轉換相同。

大腦的知覺回路中，也是從邊緣開始依序讀取認識的。

但是，若充分地活用無意識的檢索功能，來連結所讀取的文字及記憶回路上的資訊時，則速度會變得很快，因此即使從開端開始逐字閱讀，也會感覺由「同時認識數個字群」進展到「同時認識一頁全部」的地步。

精神一致的大腦若發出α波則能提高潛在能力，能否因此而看到整頁呢?就在這裡似乎是肯定又似否定的神秘狀態下，輕易學會速讀法。

像這樣帶有科學的、大腦生理學的精確說明狀況下，而學會速讀法。

因此就算在訓練初期，尚未能充分地活用大腦無意識的檢索功能階段裡，挑戰「區段讀法」、「一頁讀法」也會因為欠缺檢索能力而陷入「逐兩兔者一兔不得」的落空狀態。

若只是停止進步的話，那還有挽救餘地。

在本身達到無法自覺「從頭依序下去」的直列處理程度之前，因為將讀取的文字與資訊連結的能力，尚未增快速度，所以你會明確地自覺這種「從頭依序下去」的直列讀取。有那種誤解的想法：「啊！自己所做的閱讀方法錯誤了。」反而特意的偏離正道，在出不去的叢林中迷路。

連結加速後的潛在能力

在此再回到放慢翻頁速度訓練的話題吧！

以這樣利用訓練的空檔附加一段長篇說明，讓每個人都已秘藏了速讀的潛在能力，只是目前暫且將之閒置不用而已。

若連意識都能改革的話，則速讀法則是可瞬間學會的單純溫和的技術，若以便條紙來記述訓練內容的話，則最多不超過五頁便足夠了。

對左腦型的人而言學習速讀法其理論的、情緒的理解比訓練課程本身佔有更大的比重。

那麼可能是您自己還未察覺吧！到目前為止的訓練如果您認真的執行的話，那麼您的潛在能力應會相當活躍地開始活動了。

但是有時會因翻頁速度太快，也就是文字消失的速度遠超過潛在能力可讀取的速度，結果潛在能力猶如睡眠狀態般的毫無變化，所以才無法察覺進步程度。

若持續階段式的放慢速度，則必定會在某些時候，因連續刺激已活性化的潛在能力會與翻頁的速度一致，而產生所讀取的文字與大腦記憶回路上的資訊、知識相連結的現象。

如此一來，您利用比以前快數倍的速度來閱讀，而理解速度完全不落後的情況下，便可掌握文章的內容。而且此時成效已近在眼前了。

翻頁的「放慢計數」

執行前面階段中的訓練，即在限定的十秒內翻完二、三百頁。也就是在一秒內翻完二十到三十頁這樣快速的速度。而後再放慢速度，以一秒八頁的翻頁速度來試試看。

剛開始一秒八頁的速度，會覺得太快而無法控制。

因為您是將速度階段性的減慢下來，而持續不斷放慢計數的訓練方式，所以您應該會覺得一秒翻八頁的速度是十分充裕而綽綽有餘的。這麼一來平均看一頁所需的時間增長，所以用V字形視線游走每一頁者，應該可以使用W字形的視線走向了吧！

總之，在高速階段中以無形的自動視線範圍的刷子來掃視整頁，而遺漏部分甚多者，應該不會再有出現遺漏部分的情形了。在這種情況下，大腦無意識的檢索功能已然發達者，則能讀取所有的文章內容了，這時終於明白：「啊！我終於知道什麼是速讀法了。」

但是有這種奇蹟的人，幾乎不會出現。數千人之中充其量也不過一人，而本書之讀者大多為「一般普通人」，因此更要持續不斷的訓練才行。

現在該是可以測試看看重要的潛在能力活性化，已達到何種程度的時候了。

單就執行放慢速度的訓練，不提前述的那種奇蹟者，就是極為普通的人，也不僅單單可認識數個文字而已，連分數在各頁上可理解意義的單字也能夠辨識出來。

不用說當然尚未能理解文章全部的內容或架構。

若有想要馬馬虎虎地理解內容的想法，則反而會陷入困境。那麼將散於各頁可認識的單字數目，與您的潛在能力活性化程度做一比較，大略可列出如左的標準。

①可認識十個單字以上……您的活性化程度非常大。

②可認識五～十個單字……您的活性化程度在平均以上。
③可認識二～三個單字……您的活性化程度在平均水準。

順其自然的訓練

在此還要再三叮嚀，如果覺得可認識的單字數目太少而不安，欲勉強增加數量的話，則便無法有效地使用自動視線範圍，將會產生過度集中意識而窄化視野的現象。

單字數目的增加必須在徹底自然的狀態下才行。接下來在一秒八頁的速度訓練中，有些人還覺得太快而完全無法以W字形視線遊走各頁。

這些人再減半速度，以一秒四頁的速度試試看。

在任何時候都能執行符合能力活性化的訓練，且絕不勉強，此為增進速讀法的重點所在。每個人在訓練過程中所開發的能力程度，因有極大的個別差異，所以沒有最高極限標準。

例如，假設您是非專業棒球的選手，偶然有一個機會與西武萊昂的選手一起練習。

您眼看身旁的秋山、清原、巴克雷歐等人像大砲一般地把球打到外野區，您大概會認為他們不是凡人，並帶些焦慮嫉妒的感覺吧！

然而在速讀方面，當您遇到一位純熟速度遠超過自己的人，您也會產生同樣是人，怎麼會有這樣大差別的焦慮，而無論如何也要勉強自己趕上，這種行為無異是自掘墳墓。

數次以運動為譬喻，乃速讀法多處具有極度運動性的要素，素質天生者，不管老師教到什麼程度，都能領悟。這種情況就如同有人天生就是棒球全壘打王，就算沒有經過什麼特別的訓練，也能不斷地打出全壘打來的情形一樣。

因此希望讀者能有自己和別人不同型的觀念，無論如何不要有焦慮的心態。

天生擁有檢索能力者

這種人到底有什麼不同?在本書開始時，曾有所謂左腦型、右腦型的分類，屬於左腦型者無疑是天生具有大腦無意識檢索能力的人。

因此舉例說得透徹一點，就是將直線式列印的書，以一三〇頁圖所示的不規則視線移動方式來閱讀，就能理解內容了。

這與益智遊戲的「啟發式猜謎」情形相同，就是將零零散散映入眼中的文字資訊，能在腦中瞬間地整理出來，而後再規規矩矩的順序轉換。

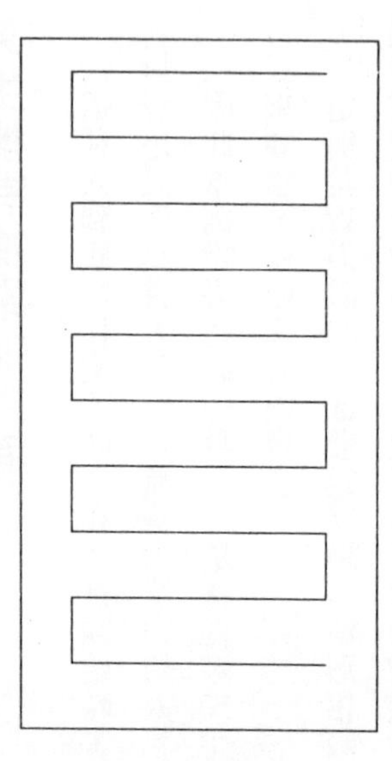

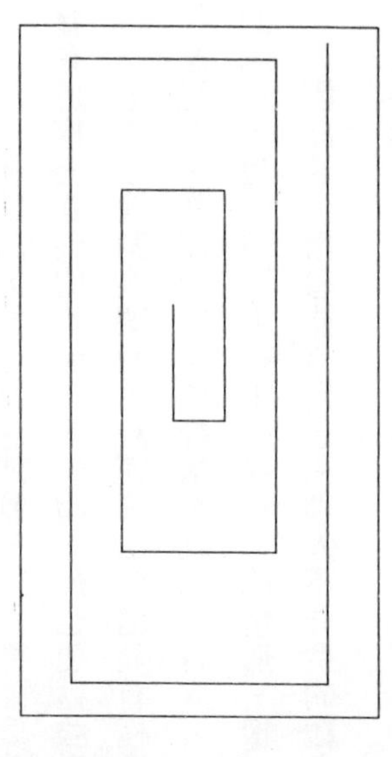

然而，大多數的「一般普通人」，自從接受國小的音讀教育以來，從開端依序閱讀的習慣已經根深蒂固，而養成視野愈縮愈小的閱讀習慣，因此一旦要接受速讀法的訓練可擴大視野的閱讀方式，則很困難，因為此閱讀方式與自己的習慣完全不同。

這就是為什麼要達到從「描讀」進步到一次數個文字的「區段讀法」，且可以不規則從容不亂的理解內容的這種程度，困難重重的原因。最好是不要期待那樣的特技較保險。

即使活用自動視線範圍來閱讀時，無論視線依V字形移動，或W字形移動或者以更細部的形狀來移動視線等，皆是比照從開端順序讀下來的閱讀方式來讀取。

運用自動視線範圍這把「無形的刷子」，若可掃視列印的全部文字、或檢索能力發達的話，那麼不管視線的走向如何的不規則，也能掌握所書寫的內容，因此V字形也好、W字形也可，不必拘泥於欲遵守一定規矩的視線走向，我們之所以要一而再、再而三重複提醒讀者，是因為不能將重點置於無關要緊處。

而在檢索能力未發達的狀態下，不管V字形或W字形的讀法結果都是漏掉了中間部分，因此只能在斷斷續續的形態下掌握部分內容。

再次挑戰二點閱讀訓練

在此希望您能再度挑戰只看行頭及行尾的■而不看中間文章內容的二點閱讀訓練。

在少數的其他訓練中會插一段間隔、插一段長篇的邏輯講解，所以應該會較先前多少增加一些順著視線看下來的行數。不管怎樣，應會增加至五行左右吧。

可增加至十行者，極為優秀，但真的連一行都沒有的人也不需要太悲觀。

大部分視力良好且眼部肌肉尚未衰退者，都會增加行數。

而視力不好的人，因為眼部肌肉逐漸衰退，如同剛出院不久的人一樣，剛開始接受運動訓練時會因體力不足，而像快要斷氣似的疲累不已，不但無法增加行數，有時甚至還會退步；但就算是這種情況也會在數日後好轉。

再次挑戰二點閱讀法，大抵誰都應可看到三十五行至四十行的程度。

如此的話，以先前那種完全無法認識文意的速度來閱讀，則會產生多少有一些文意隨意躍入眼簾的現象。因為人類的視野廣闊，即使只看見上下文的■而看不到中間的內容，也會啟動檢索功能來看清內容。

但在相反方面，一發動想要讀取的意識便會縮窄視野，因此讀取能力一直都無法提高。因非個別指導教學，僅以文字來傳達此微妙神韻是非常困難的，一直絮絮叨叨重複類似的說明，希望讀者無論如何都要明瞭。

雖不可有想要讀取的念頭，但可接受不經意看到的文字，這種「來者不拒」的狀態對訓練而言並無大礙。

左腦型的人一有「不讀」的念頭時看都不看就放棄

這種未看便拒絕的態度，無法練會速讀。

您大概會認為：「真笨，這還用說！」但左腦型的人無法區別「讀」與「看」，您意想不到很多一有不讀的念頭者，看都不看的便放棄了。

一啟動想要讀取的意識便會縮窄視野而得不到成效，但一看到不讀的意思便看都不看者，成效也一樣不好。在此也將之譬喻為運動而說明之。

左腦型的人很多誤解了「在看」，但「不讀」的狀態，為只要打開眼睛就可的狀態。

這在運動方面來講並非「在看」，而是「未看」的狀態。

以棒球方面來說大概為漏接了飛過來的球、從雙腳間穿過的球（tunnel）或打中了身體的壞球，而在排球方面，則是承受顏面踩在對手腳下的情況。

總之，注意力散漫者會有如遭受斯巴達式教練左右開弓的情況。

而速讀法所要求的「看而不讀」的狀態，並非這種散漫的狀態。拿運動來說，就是那種任何時候都能迅速處理飛向自己範圍內的球之輕鬆狀態。

如同益智遊戲的「啟發式猜謎」要求運用檢索能力的難題一樣，沒有某種程度的激發神經緊張的話，便不能得到反應，來將視野內所捕獲的資料與記憶回路上的資訊連結起來。

但話說回來，如果緊張過度會縮窄視野，長久無法得反應來活用自動視線範圍。

如果您無法領會這種細微神韻，很可惜您只停留在數倍的速讀能力上，但若能領會的話，則便能精進至十倍、數十倍。因為這是極重要的分岐點，希望您好好地牢記住。

視線依鋸齒狀移動

希望您再做一次「不讀」的二點閱讀訓練，至少能抓到一些躍入眼簾的文意。

這意味著您的潛在能力已更活性化，大腦無意識的檢索功能已開始活動了。

這樣一來越發能夠銜接自高速度方向（翻頁），及自低速度方向（描讀各行），雙方向的訓練。以一秒約四頁的比例翻下去。

因為翻頁所需的時間更長了，所以視線若以W字形移動者，應可使視線以更細部、鋸齒形的走向移動。而眼部肌肉發達者，視線可以描完整頁行數也不是不可能。

如果可以看完所有行數，那就可暫停下來，如果無法看者，那麼就將速度順序降半為一秒二頁、一秒一頁。以鋸齒狀更細部的走向來移動視線，最後誰都可以做到一次看一行或二行的視線移動方式。

這樣一來在這種狀態下，換算為每單位時間可看的行數，則與二點閱讀的訓練幾乎沒有什麼不同。也就將高速及低速雙方向銜接起來。

試試看邊讀邊理解文章，就算是第一天開始訓練的人，大概也有分速三千字到五千字，可以好好地玩味熟讀之。

但是在剛開始的性格分類判定上屬於左腦型者，有強烈的不管怎樣總會恢復逐字閱讀習慣的傾向，因此，即使要邊讀邊理解，也必須要有「快速閱讀」的意識。

分速未達三千字者，請試試看一面理解一面快速閱讀的方法。

速度雖快，但應該不會感到理解能力低下的情形。

如果理解力因而低下的話，那您一定是對本書的某部分文章會錯意，犯了以意識來讀取不該讀取部分的錯誤。

歸納整理訓練內容

因為插舉一段長篇的講解，所以為方便您執行自主的訓練，在此歸納幾項項目。

如左所記述事項。

①一面以〇・二秒至〇・三秒翻二百至三百頁的速度，一面不斷地以最快速度的視線看

下去。

②以十秒二百至三百頁較慢的速度翻頁。將眼睛視為照相機，自己本身也視為照相機，將各頁的所有文字拍攝在視網膜上，但不可分散注意力。

③以一秒八頁、一秒四頁、一秒二頁、一秒一頁……的順序來降低速度，而視線也因此移動得更細部化。

④以一秒五行、一秒四行、一秒二行、一秒一行的順序更加減慢速度。

在最後第④的步驟，若學會了速讀法，即使一秒二行的速度也可充份地讀解內容，因此一秒一行的速度訓練課程便因不需要而自動地刪除。

而後，一連數日的訓練下來，若能一秒閱讀三行、四行，那麼到最後便完全不用再做第④項目了。果真能如此，您的速讀法便可以說是已成為完全貨真價實的技術了。

訓練時間的標準

那麼這種訓練到底要花多少時間才好呢？且將時間的標準在此說明一下。

因切除邏輯講解部分，會以為所需時間頗長，其實做完從①到④的所有訓練，最多不過五分鐘而已。每天早晚不間斷執行二回，總計十分鐘。

這樣做有困難者，早晚各花五分鐘做一回合，所得的效果會大於早上或晚上花十分鐘做二回合者。其道理與讀書的復習方法相同，就算是每次都做一點點但數次頻繁後，較能活性化潛在能力，且不會忽略大腦的檢索功能。

不管您有多忙，要從早晚生活時間表中只騰出各數分鐘的時間來，應該不費事。

如此一來速讀法越來越精進，不只能阻止視力退化現象，亦能慢慢恢復已退化的視力，因此希望擁有此書者，能夠確實、認真、忠實的執行此訓練。

為何速讀法能帶給視力良性影響呢？

在介紹了訓練的內容後，在此再度重申一次為何速讀法能帶給視力良性影響。

第一個主要因素，當然還是利用比以前的讀書方法還要強烈的速度來移動視線，所以能夠鍛鍊眼部肌肉，而使眼部全體的血液循環狀態良好。

眼睛肌肉運動方面，我們推出一個令人注目的眼球直線運動之訓練。

但是，若光做眼球直線運動訓練但尚未學會速讀法者，就算是視力良好的人也無法得到順利進展的結果。

成效不好的人，皆因在讀書方法方面留存著導致視力惡化的問題要素，且尚未改善情況。在此以下表來對照檢討已學會速讀法，以及尚未學得速讀法者的讀書方法。

尚未學得速讀法者	已學得速讀法者
從頭開始依序一個字、一個字的集中意識的讀下去。	一次數個文字的歸納閱讀，意識較不那麼集中。
完全沒有活用自動視線範圍，而使視野有越來越窄化的傾向。	活用自動視線範圍，儘可能使視野擴大的持續不斷的閱讀下去。
幾乎不使用大腦無意識的檢索功能。	充分地活用大腦無文字的檢索功能。

不要太集中意識，充分地活用大腦無意識的檢索功能，這類的讀書方法才是維持良好視力狀態不可或缺的必要條件。

直截了當的說，就是我們平常除了文字以外看其他地方所用的方法。

一般人常說，眼睛疲勞且視力退化時要眺望遠處的風景。

這句話的含意也就是常眺望遠處風景的話，則眼睛不疲勞、且視力也不會退化。

這樣說來，難道我們在眺望遠處的景色時，沒有使用眼力嗎？

不用說，當然是確實的使用了眼力。

而且甚至也有人說欲恢復眼睛疲勞或恢復視力，與其隨意的眺望遠景，還不如將視線的焦點集聚在遠處那樣的看影響會更好。

這種方法不只是一般外行人的治療方法，就連專家眼科醫師也是將之奉為宗旨，因此才會有這種錯誤的說法：「過度使用眼睛會導致視力退化」，您一看就可明白了。

我們不只一次的強調，眼睛要不斷地使用，否則便無法維持它原有的功能。

雖這樣，到現在還是有很多人會認為：「濫用眼力是視力退化的首要原因」，而陷入這種先入為主觀念的設限內，只知道要讓眼睛休息，因此視力便一直退化下去，而徒令眼鏡商及隱形眼鏡商獲利而已。

視力退化的原因不只是濫用眼力，也有用法偏差的因素，與其說只要改善偏差的用法便可維持功能，提昇視力能力，倒不如利用所謂的濫用眼力這類方式反而較有成效。

改善眼睛用法的偏差方式，就是如眺望景色般的注視文字。

眺望景色與讀取文字不同

當我們以眼睛來眺望景色、看文字、讀取文字時，眼睛用法是如何不同呢？就以平常生活的未注意事項，將之另行分析看看。

①在眺望景色時，視野擴大而能環視廣闊的全景，但是閱讀文字時，視野縮小只看極有限的狹窄部分。

②在眺望景色時，視線移動快速，移動方式不規則，但是在閱讀文字時，速度慢如牛步，而且移動方式受印刷文字的支配，以固定方向移動。

③在眺望景色時，意識分散於全景各處，但在閱讀文字時，大腦會啟動自動取捨選擇功能來刪除對象文字以外的意識，將意識集中於一點。

④在眺望景色時，大部分為無意識的活用大腦檢索功能，來辨識映入視野的物體，意識行為部分極少。但在閱讀文字時，這種比率卻完全相反，絕大部分以意識來讀取，而活用大腦無意識檢索功能的部分少之又少，甚至有時完全不用。

眺望景色與閱讀文字的不同

此處所列舉的閱讀文字的方式，當然是指一般尚未學會速讀法者的閱讀方式。

眼睛用法的偏差歸納如下所示幾項：

①並非自然的在視野廣闊、開放的狀態下，而是在狹窄的狀態下使用眼力。

②並非自然的快速移動視線，而是緩慢移動。

③並非自然的不規則移動視線，而是固定方向移動。

④並非自然的將意識分散於廣闊區域，而是集中於局部的有限範圍內。

⑤並非自然的充分啟動大腦無意識的檢索功能，可以說是完全將此功能閒置不用。

為何在視力恢復中心無法恢復視力

如果不改善前述五項的錯誤用法，就不可能徹底的恢復視力。

恢復視力的方法各式各樣都有，就目前所知的有視力恢復中心所採用的，類似眼球直線運動的眼部肌肉體操、超音波治療、低周波治療、針灸及指壓治療等方法。

我們不能夠說這些治療方法無效或是取巧行為。

如果主治大夫的技術優秀，治療結果非常有效，大約有七、八成的人能夠暫時恢復視力，或對眼睛疲勞者成效不錯。但是必須一直接受治療不可，如果您覺得視力已痊癒，便鬆懈下來停止治療的話，則不久就會恢復原狀。

視力退化最大原因，就是在看書方法方面，一直沒有改善眼睛的偏差用法，即沒有做到根本上的改革。換句話說，如同未察覺底部有洞的水桶般，不管怎樣努力地汲水效率都不好，拚命向桶裡添水、加水以增加水容量達到所需程度為止。

不斷地汲水（不斷地接受主治大夫的治療）不知不覺地便汲滿了（已恢復視力），因而安心滿意地停止汲水（中止治療），而後桶底的漏洞（眼睛的偏差用法）慢慢地顯現出影響力，最後終於漏光而見底（視力再度退化）。

因此，欲恢復視力，必須從根本上做起，從讀書方法中脫離眼睛偏差的用法。

速讀法才是根本上的視力恢復法

根據前面歸納的五種項目，為何「過度使用眼力」對視力恢復有效呢？好不容易總算可讓半信半疑的讀者們理解其中道理了吧！

學會速讀法者就算是做前面所述的；即不會速讀法的人所具有五項違反自然狀態及偏差

的眼力用法，頂多也只是第③項而已。

而且，在開始學習的初級階段，會隨著速讀的進步，越發能充分活用第⑤項的無意識檢索功能，因此視線的走向更加接近不規則狀。我們似乎是自賣自誇，但即使說速讀法是現階段所考慮得到的最優良、最根本的恢復視力法也不算不對吧！

當然，在前面所介紹的數種視力恢復法也有其成效，因此若能以速讀法從日常生活剔除根本的因素並結合其他方法的話，則能更迅速地獲得卓越的效果。

有些讀者在視力恢復中心或在各種治療診所中接受治療；但卻沒有得到如廣告宣傳般的顯著恢復效果，希望您們能檢討在閱讀文字時自己所用的方法為何。

那麼，您們應會發現自己的用法全部與所列舉的眼睛偏差的用法相同。馬上從生活習慣剔除該偏差的用法，自創的方式也可，試與連結速讀法的訓練併用看看。

只要眼球沒有先天性的缺陷或病變、沒有重大的功能障礙、構造障礙等任何異議。都可以下工夫努力使視力逐漸恢復。

壓力是視力退化的根源性因素

視力退化最直接的原因，乃我們不時在提及的眼球的血液循環不㫏所致。

因此在『視力復健眼部肌肉訓練』中，我們不再贅述，而引起眼球的血液循環不㫏的最根本原因，其實是來自精神上的壓力。精神上的壓力為什麼會引起眼球的血液循環不㫏呢？有關其生理學上的解說，將於下一章詳述之。

總而言之，未學會速讀法者在看書時，無論採取什麼方法，只要是違反前述所歸納的五項自然方式，都會感到存有巨大的壓力，這就是使眼部肌肉不自然、極為疲勞而導致血液循環不㫏的原因所在。

這樣說，我想會有很多人反駁道：「不會呀，自己看書的時候並不會感到什麼壓力，蠻輕鬆愉快的啊！」

那是因為在生活中開始看書的期間太長了，即使感到有壓力，也會誤為那是理所當然的狀態，只不過是感覺逐漸麻痺，而不再察覺壓力的存在罷了。

一個人若連續幾個小時不斷地看書，而使眼睛極為疲勞，這時應該沒有人會說眼睛很舒服吧！由此可證明上述論點。

即使看的都是極有趣的書，看久了眼睛也會疲倦得睜不開吧！

這是因為看書這項行為本身具有壓力，在本質上會對眼睛造成不好的影響。

即使如此，若單單只是看書的壓力倒還不會造成重大的障礙，但若是個人的性格問題、生活環境或人際關係等方面的影響，則同時承受各種不同的壓力時，將會使視力急速地退化。因此若不能消除壓力的根源，就不能從根本上恢復視力。

初級速讀法與中級以上的速讀法

將話題再度轉回速讀法上。

到底看書能力要達到幾倍的程度狀態，才能算是「已學得速讀法」呢?就所有的速讀法之標準而言，若能達到約三倍以上程度的話，便可以說是「學會了」。

要達到那樣程度的初級速讀法說起來也很簡單，只要忠實地按照本書簡單介紹的訓練方法去做，每日最多不過半天時間，數日後便可達到初級程度了。

總而言之，同時利用快速移動視線與高速翻頁雙重訓練，將文字消失的感覺深植於潛在意識中是最有效的。不需要丹田呼吸法、定點凝視法或其他任何複雜困難的訓練，只要反覆做此項訓練，絕大部分者都可獲得分速五千個字左右的速讀能力。

但是也因此會出現一個無形的障礙而陷入某種低潮，要達到分速五千個字以上的速讀能力也並非那麼容易。單以讀取速度來說，分為初級、中級以上兩種程度，而此分速五千字的速度可說是初級速讀法與中級以上的速讀法之分段點。

總之，初級的速讀法不需要什麼意識改革，藉著物理的訓練，加速可望達成上述的讀法。但是想要突破第一關，學成中級以上的速讀法時，必須有某種程度上的意識改革。

在此處略述意識改革，其可分為二項，一是將視野保持在開放的狀態下看書，且儘量避免集中意識，二是活用大腦無意識的檢索功能來看書。

若能將視野保持在開放的狀態下看書，即使不能充分地活用無意識的檢索功能，也能獲得分速一萬字左右的速讀能力。這種分速一萬字的速度是第二關，如果沒有某種程度運用無意識的檢索功能的話，就無法突破之。

即使訓練方法相同也無妨，如同運動選手在訓練的最終階段找出最優良的姿勢一般，要有令自己領會的部分。因此，自修不是不可能，跟隨著資深的指導教師，接受他的指導矯正，知道自己那裡有缺失，就不會徒勞無功。

光以書本自修速讀法的人，或是在教室裡上課、左腦型傾向特別強的人，都有很容易陷入困境。不看文字，必須如眺望景色一般的看，這樣的指示目的在於讓視野廣闊開放、充分啟動大腦無意識的檢索功能。

誰都應該可以理解這個指示的含意。但是，認為自己已經理解的，卻只不過是一個錯覺罷了，因此一旦依照指示去做，做法卻完全相反，反而陷入困境低潮。

就如同棒球教練指示：「用水平打法」，而選手卻拚命的盡力打仰角打法一樣。

若您想要這樣做的話，則效果不好。

與前述事項相同，想看時，只要打開雙眼，就可營造看不見對象物的狀態。也許有讀者會認為「真是嘮叨不休」，還是必須這樣反覆的提醒您注意不要陷入大陷阱裡去。

讓意識分散集中

現在讓我們來談談足球吧！所謂足球這種運動與棒球不同，因為是一項常在滾動的球類運動，所以身為足球選手，其注意力是必須的。

對於一個笨手笨腳的選手來說，只會注視著一個正在滾動的球而已。

如果是一個足球高手來說，在球移動的同時好像也能看到敵隊的動態。

尙且，一旦成為一個足球高手，不但可以看到敵隊以及己方的動態，連全部的球員幾秒鐘後的位置，都可以以他的經驗預測得到。

像這樣的意識狀態是怎麼樣形成的呢？

這是將意識分散到一個、數個或是數十個地方，但是，這樣的分散方式注意力是否會因此而散漫呢？事實上卻相反的極度精密的集中。

如此似是而非的論調就是所謂意識的分散集中。

這種「分散集中」的感覺，就如同速讀法上所要求的「不讀取文字的看」的感覺一樣。這是非常困難的，做得不好的話，則該分散的時候卻變成意識散漫，而發生雖是睜著雙眼卻什麼也沒看到的情況。如果想要集中意識的話，就變成無法分散意識，而將視野都集中在一個狹窄的部分上了。

所以那就是大家以往的「傳統的」讀書方法，認定除此之外已無其他的讀書方法了。如同前面所述，這種讀書方法是違背人類自然的生理狀態，所以在不自覺中背負了很大的壓力，不但不能速讀而且會非常的疲憊，以至成為導致眼睛疲勞，視力退化的原因。

這世上祇聞速讀法而不知其義，敬而遠之或未接觸便嫌惡的人很多。

大抵這種人都有一種先入為主的觀念，認為若以速讀法來讀書，會感到強大的壓力而產生疲勞厭惡感。

但是，事實上卻非如此。分散集中的意識來閱讀比較輕鬆，幾乎不會感到疲勞。

即使是足球的初學者，也必須要有相當的運動量，因此，我們來試想使用球拍的技術。現在假設桌球、網球、羽毛球的初學者，與可出賽全國大會的高手一起練習的情形。如此一來，雙方都消耗了相同的運動量，而兩者運動後的疲勞感是怎樣的比例呢？結果多半是高手只是稍微地流汗的程度，而相對的初學者卻是精疲力竭的情況。

這種情況雖然是因為初學者，對該項目沒有事先鍛鍊必要的肌肉，而高手卻是鍛鍊有成所致，但這也只不過是一個次要原因而已。

由於初學者無法將意識分散集中於全身，考慮手的動作、考慮腳的動作、考慮球或羽毛球的動向等，這種一次只做一個「資訊處理」，因此才會加速疲勞。

由此例證我們明白了，無論是摔角選手或舉重選手的初學者，即使他擁有壯碩的肌肉，一樣也會疲勞。

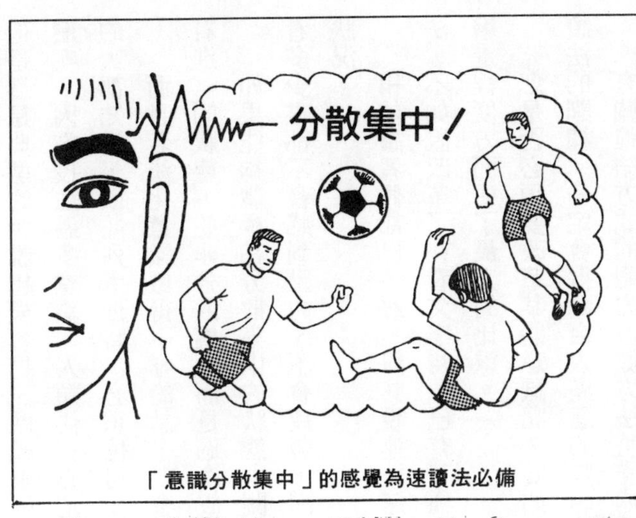

「意識分散集中」的感覺為速讀法必備

資訊的直列處理及並列處理

意識集中在一個地方，一次處理一個資訊後再處理下一個，這樣的從開頭依序處理下來的動作，以專門名詞來說可謂之「直列處理」。

將意識分散集中，可同時並行處理數個資訊，可謂之「並列處理」。

直列處理因為學校教育中教導音讀的關係，而成為一固定的習慣，其具有違反人類自然的生理狀態，壓力強、疲勞度高，連帶的使處理速度緩慢等等之缺點。

而並列處理極為自然，幾乎沒有壓力，處理速度快。

這樣寫的話，誰都能理解並列處理較為優秀，但是這是典型的「說起來容易、做起來困難」，要融入現實生活中是一件不容易的事。為什麼呢?因為投注過多意識，人類便有必定會依照直列處理方向移動的習性，只要是常做運動的人都知道，欲並列處理時，必須儘可能地淡化意識。

而且若淡化意識做得不好的話，就會變成我們一直提述的「雖是睜著雙眼，卻什麼也沒看進」的狀態，並非分散集中而是過度成為分散散漫的狀態了。

如果能夠體會在分散集中的狀態中關閉意識的話，則速讀法便能突飛猛進，而產生不管看多少書都不會感到壓力、不會疲勞，因腦細胞不疲勞，所以記憶力及理解力都增強的理想狀況。

相信讀者們都已了解，與其說連結速讀法的理論及訓練方法都很簡單明瞭有助精通速讀法，不如說改革了在看文字時，已有某種程度根值於長久生活習慣中的意識，對您速讀法的增進程度方面佔了最大的比重。

您是否必須要改革某些意識呢?要如何才能體會了解，希望您再試試看另外一些連結速讀法的訓練。一定會得到令人滿意的豐碩結果。

有關連結方式的視力復健方法將詳述於下一章。

第四章　連結式視力復健法

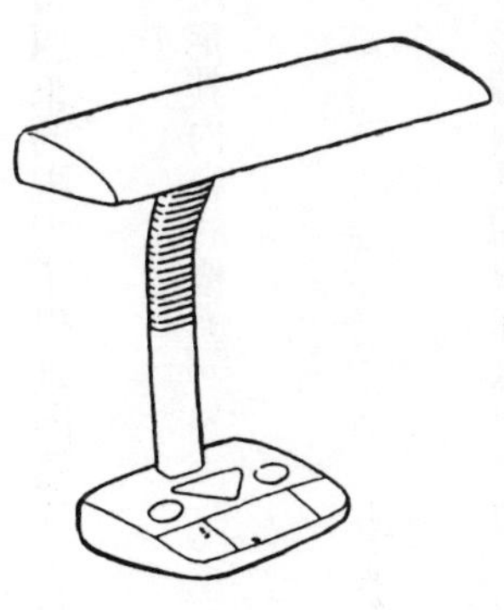

視力退化的主要原因有二

至目前為止，雖已敍述過速讀法對視力的好處及連結速讀法的計劃；但本章將再針對難以了解的人，僅就視力復健法大略說明之。

尤其，非眼球本身的疾病或營養不良等，造成視力退化的主要原因大約有二點：

一、如『視力復健的眼部肌肉訓練』中所述，因運動不足而引起眼部肌肉衰退。

二、因壓力造成異常緊張，而導致血液循環不良。

而，這二個原因都將成為治療的重要因素，其對於恢復原來的視力不但是困難的，且可以說就像「汽車的兩個輪子」般重要。

總之，雖已大致地決定第一、第二的順序，但卻很難決定其內容的優劣。

欲使視力恢復時，須巧妙地連結此二個治療要素。

為何眼部肌肉鍛鍊與視力復健密不可分

個性樂觀的人就比較沒有第二個問題，所以，只要做做鍛鍊眼球的眼球直線運動，即可恢復視力。但是，很遺憾的，大多數的眼科醫生和眼鏡商並不相信此事。

首先，我們知道使眼球運動的肌肉有下列六種：

內直肌……控制向內的運動。
外直肌……控制向外的運動。
上直肌……控制由上向內的運動。
下直肌……控制由下向內的運動。
上斜肌……由下至外側做車輪式運動。
下斜肌……由上至外側，同樣地做車輪式運動。

據目前的眼科學會所知，只有調節透鏡的水晶體厚度之毛狀體肌，才與視力有關，而上述六種眼部肌肉則全無關係。

但，其實不然。

在這裡，向大家介紹一本速讀法的書，此書載有訓練眼部肌肉的方法：

①請準備普通文庫中的新書一本（將此列舉×的項目抄寫在另一張紙上，以本書來訓練之，也無所謂）。

②請打開至滿頁處，並看看鐘錶，以確認現在的時間（特別要注意秒針），然後，開始用你的眼睛掃瞄各行。並不是要讀，只是用視線從×字面上掃過去（亦即，與第二章所做的「二點閱讀」之訓練相同）。

③以視線掃瞄完整整的二頁後（應該有三十二行），看看秒針，以確認所花費的時間。若超過十秒以上，則不行。表示你的眼部肌肉還運動不夠。請再以十秒為目標挑戰看看。

④第一天就要能以十秒看完滿滿的二頁，剛開始是無法辦到的。即使你連續地挑戰，會有造成眼部肌肉發生痙攣的危險，所以，下次練習請換個方向。亦即，把書橫著擺、或斜著放，來做「不讀，只以視線掃瞄的訓練」。雖然說把書橫著擺、斜著放，根本無法了解書的內容是什麽，但，反正我們的目的並不是要了解文章內容，而是要以視線做最快的掃瞄，並把書當做讓眼部肌肉運動的小道具，所以，即使不知道文章內容也沒關係。

⑤以速讀法來說，大約有百分之八十的受訓生能在一分鐘之內進步到讀取一萬個字。這表示其在一秒鐘之內能讀四行以上，所以，在這樣一種不讀、只掃瞄的訓練中，不要說是四

行、或是它的倍數——八行，就算是滿滿的二頁，也必須在短短的四秒鐘之內掃瞄完畢。第一天的目標是：不論把書正擺、橫放或斜放，都要能在十五秒之內以視線掃瞄完滿滿的二頁。若把書斜著放，所花費的時間較多，即可知：您的眼部肌肉失去平衡，花費較多時間的方向時之眼部肌肉呈現衰退現象。所以，我們把重心放在該方向上做此練習，慢慢地就能矯正您眼部肌肉的不平衡。

⑥第二天的目標是：各方向都能在十秒之內掃瞄完。第三天的目標是：各方向都能在七秒之內掃瞄完。最後目標是：各方向都能在四秒之內掃瞄完。若能以這麼快的速度移動視線，則速讀法也會自動地進步五倍左右。

嗯！怎麼樣呢？如第③、第④項所寫的，從頭就徹底執行此訓練數值的人雖不多，但若持續下去，很快地就能做到了。

視力和眼部肌肉的發達度有比例關係

可是，到此訓練所指示般地練習自如以前，這段期間內視力好的和不好的人會出現極端的差距。

例如：視力一・五或二・〇的人大多當天即可練習自如。

反之，視力〇・一以下的人，即使每天持續訓練，也要花費幾週至一個月左右的時間。

視力好的人不論再怎麼做上述訓練，也不會疲倦；而視力不好的人就會立刻感到疲倦，因此，若再繼續訓練的話，眼睛就會像皮肉分離似地疼痛難當。

常常慢跑的人，與老是躺在病床上，而剛出院做復健治療的人相比，他們的腿部肌肉的差別，就好像視力好的與不好的人的眼部肌肉的差別一般。

由此可知，視力和眼部肌肉的發達度有比例關係（是否有嚴密的正比關係存在，至今仍不清楚）。

然而，為什麼可以斷言：「六種眼部肌肉和視力無關」呢？

若客觀、冷靜一點，則「若視力和眼部肌肉的發達度有比例關係，那麼，鍛鍊眼部肌肉的話，不就能使視力恢復嗎？」這種想法毋寧是科學家謙虛的態度。

而事實上，若對眼部肌肉做做像眼球直線運動等適當的訓練，則視力的恢復現象有相當的或然率。

僅以眼球直線運動而不見有卓著的效果時，就如前頭所說般地，可能是有太大的精神壓力之故。

各式各樣的眼球直線運動

那麼，在此介紹各種鍛鍊六種眼部肌肉和毛狀體肌的眼球直線運動吧！

首先，一般人所患的近視大多是，由於調節遠近的肌肉衰退的緣故。

欲改善此種情形，請做「交互看」的訓練——儘可能快速地交替著看看遠方和近處。

例如：假設您是一個正在上課的學生，那就把您的指頭或原子筆之類放在眼前大約十公分距離的地方，然後很快地交互著看看黑板和指尖、筆尖。

若您正在操作VDT，不要只是把視線從畫面上移開，而茫然地看著窗外，要很快地交互著看看窗外和鍵盤等身邊的東西。

或者，您正撐著傘在雨中漫步時，那就把傘軸拿在眼前十公分處，然後很快地交互著看看傘軸和遠方的景色。

本訓練以十秒為一單位，在此十秒之內，至少要讓您的視線遠近地各來回十次。

在最初訓練的時候，先看看手錶的秒針，以確認現在的時間，然後交互地看看遠方、看看手錶各做十次，並測量其所需時間，則對於要以多快的速度來練習，應可拿捏準確。

此外，在做此訓練時，並非漫不經心來回地看，而須儘可能努力地把注意力集中在一點上。

若漫不經心地看，則無法產生預期的效果。

雖然是老掉牙、一說再說的話了，但我還是要舊調重彈，因為若是要使您的視力恢復，並不是讓眼睛休息，而是須鍛鍊您的眼部肌肉，使其發達。

若無法在十秒之內來來回回地練習十次，抑或做此訓練時會引起頭暈目眩、想吐，那麼可以說調節您眼睛遠近的肌肉相當地鬆弛。

即使您現在的視力尚未退化，但若這樣置之不理的話，遲早有一天視力會急劇地減退，所以，還是須先作預防才好。

須注意勿體力透支

其次，視力〇・一以下的人要特別注意，不要連續地訓練超過十秒鐘以上。

劇烈的運動，眼部肌肉會有陷入「皮肉分離」狀態的危險性，而如此一來，就不容易恢

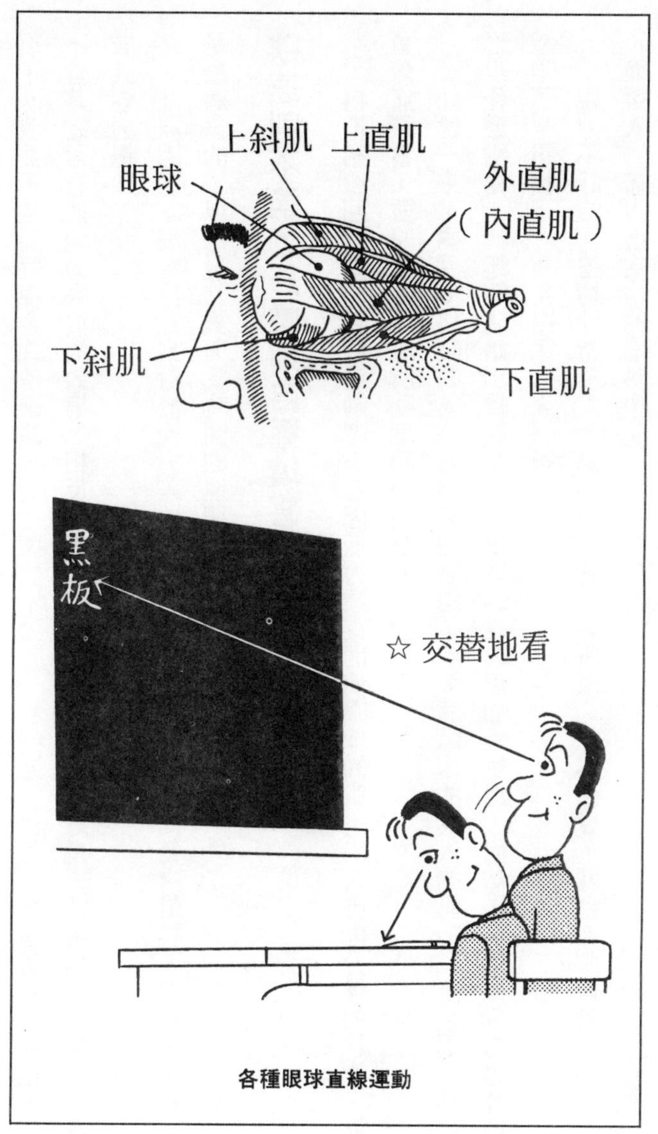

各種眼球直線運動

復了。我並不是要貶損金式速讀法，而是聽說不論哪一派的速讀法都不能預防視力退化，且不管其是否有使視力恢復的效果，相反地很多速讀法訓練教室都只是一味地訓練學生，而造成其視力退化。

其原因是：沒有注意到對於視力差的受訓生而言，受訓的時間每次最長不要超過十秒才是最適當的，但卻對其施與長時間的連續訓練，而造成體力透支。

欲速則不達，焦慮則自掘墳墓

再把話題回到眼球直線運動吧！若因體力透支而使眼球的肌肉陷入皮肉分離的狀態，就會疼痛難當，暫時無法隨心所欲地轉動眼睛。

如此一來，同受傷住院的人的肌肉驟然衰退，或久病臥床的老人的肌肉完全衰退，其情形沒什麼兩樣，比起剛開始訓練的時候，眼球的肌肉更加地衰退，而結果也使得視力越發地減退了。這樣子，真是賠了夫人又折兵。

視力不好的人迫切地希望：「願視力改善！」所以，一不注意，就會把訓練的時間拖長，而落入「體力透支」的陷阱中。

最聰明的做法是：視力差人的剛開始做下面所介紹的其他訓練和眼球直線運動時，要在五分鐘之內停止；而即使是眼睛好的人，剛開始做訓練也要在十分鐘之內停止。

而且，我希望剛開始慢跑的人，要從一公里左右開始練習，然後，二公里、五公里……，慢慢地增長慢跑的距離，十五分、二十分……地延長訓練時間。

但是，讀者經常問我：訓練到哪一點是好的，而從哪一點開始就是體力透支？這實在是很難畫清界限的。

比起為訓練時間定個標準來，這種墨守成規的想法本身，就是一種強烈的精神壓力。最好的感覺就是：嚐試做做看，疲倦了就休息，等想起來了再做。

總而言之，我希望開始慢跑的人不要像馬拉松選手一樣，為自己定下一個目標：今天××公里，明天××公里，且無論怎樣也要徹底地達到該目標，而是要斟酌自己的體力，適當地做各種事，等到回顧以往，就會發覺你的訓練量已經慢慢地增加了。

精神愉快地努力訓練，才是使速讀法訓練成功、視力恢復的秘訣。

富變化的訓練

若做完了十秒的交互地看遠處、近處的運動，那就再攙雜地做些別種運動，這樣才不致引起眼部肌肉發展上的不平衡。舉例說說利用通車上班、上學的時間來做訓練的方法。電車、公車的窗戶或門都是四方形的，可以用來做下列訓練：

以想像的線條，成對角線地連接四個角，並像在寫8字似地快速看。

此時的要點是：頭不動，只有視線移動。

若那樣地寫，有些人的頭會硬邦邦地僵硬住，宛如採取「不動的姿勢」一般。

如此一來，就會有沈重的壓力，而無法有好結果，所以，不想很嚴格地遵守這項指示也沒關係。我希望你們採取輕鬆的姿勢，最初雖然會動也沒辦法，但要漸漸地保持不動，儘可能以這種不拘泥形式、大而化之的心情來努力練習。

富創造性的訓練

做完十秒這種「8字形」的訓練後，就換個方向，將對角線看做蝴蝶的形狀，還是快速地掃瞄十秒。若因交通尖峰時刻車內很擁擠，而無法看到窗戶或門，那麼看著窗外的建築物或招牌來做訓練也可以。

富變化及創造性的訓練

若是在家裡時，則門、屏風、書架、衣櫥、冰箱，天花板的格欞……等，不論何者皆可加以運用。不須規規矩矩地按照本書所寫的訓練順序，無論從哪裡開始？到哪裡結束？一點都不影響。

電視並非視力退化的元凶

此外，看電視時，若使用布勞恩真空管的四個角落，來做相同的訓練，就不會因電視看得太多而把眼睛弄壞。

據說若儘可能離得遠遠地看電視，就不會把眼睛弄壞，其實那是錯誤的知識。若離得遠遠地看電視，電視畫面就會變小，視線也幾乎不動，眼球就鬆弛下來，因此，視力就退化了。寧可靠近一點地看電視，並以前述其他方法、及利用廣告時間來做調節遠近的訓練，如此，即可防止視力退化。

當然，坐在電視機前，視線一動也不動呆呆地盯著看，是遠比離得遠遠地看還要不好，說是因為看電視而把眼睛弄壞，這是第一種情形。

第二種情形就是：據本書最初的分析，判定為左腦型的人，此類型的人會把意識集中在某一點上，所以，不知不覺中主動視線的範圍就本能地越縮越小。

此乃因其使用眼睛的方法違反了人類本來自然的使用方法，所以，壓力越來越大，而引起整個眼球血液循環不良，並加速視力退化。

此外，絕對不可以戴著隱形眼鏡來做這種眼球直線運動。

由於係以相當快的速度轉動眼球，所以，戴著隱形眼鏡練習，恐有傷害眼角膜之虞。

又，乃是為了不戴眼鏡才做此訓練，所以，也儘可能地不要戴眼鏡。

但是，像視力〇・〇一的人，摘下眼鏡後就看不見鏡中的自己，若要其以裸視練習，就連訓練對象也看不見，所以，只好戴著眼鏡練習。

而且，若持續訓練的話，則過個一、二個月，就會慢慢地有效果出現，視力會漸漸地恢復，所以，雖然會花點錢，但希望你們都能逐步地將眼鏡的度數減輕。

心情輕鬆的重要性

本章節係針對輕鬆地致力於訓練的重要性，加以闡述說明之。

此乃因有些人希望他的視力在〇・一時就此打住，絕對不可以再繼續減退，而這種心情帶來了強烈的焦慮感，無論他人怎麼叫他放輕鬆練習，他也沒辦法做到。

可是，訓練時若心情無法放輕鬆，則如同以竹簍取水般，不僅效果無法提昇，還可能出現反效果，造成視力減退。因此，下面就讓我來介紹「新日本速讀研究會」所收到的二封信，及其針對這二封信所做的建議和回答：

第一封信是來自愛知縣的某位高中生，我們且稱其為S先生：

我剛開始做可恢復視力的眼球直線運動時，左眼是〇・〇八，右眼是〇・〇五。可是，這一個月來，左眼增加為〇・〇四，右眼增加為〇・〇二。或許是這種眼球直線運動做得太勤，而造成「皮肉分離」也說不定。但，我卻從來也不覺得疼痛或眼睛充血。

我覺得剛開始訓練的一週，還蠻能放輕鬆的，但，漸漸地就有了不安的感覺，而導致次數越做越多。

我很訝異於自己竟然這麼有耐性，不過，我認為這是因為家族中除了我之外，大家的眼睛都很好，相形之下，就很容易被當做笑柄，而使我的自卑感作祟的緣故。

早晨起床後，離上學還有一段時間，於是，我就利用這段時間做眼球直線運動。在學校時，也老是掛念著眼睛的事，而無心上課，實在是沒辦法。

放學回家後，又做了三十分鐘左右的速讀訓練。然後，有時我從八點開始讀書，比方說在看世界史的讀本，在這當兒，我也在做快速移動眼睛的練習。現在回想起來，我一整天儘把心思放在眼睛上，而近似一種歇斯底里的狀態。

哎！這就是我一個月訓練下來的感受。總歸一句話，祇要一得空，我便練習。雖說過度練習眼球直線運動，會引起嚴重的頭暈目眩，但，我卻像個沒事人似的。這並不是我特別「故意逞能」……。

打從我戴眼鏡開始，大約有三個年頭了。但是，我很討厭戴眼鏡，一戴上眼鏡，眼睛就覺得朦朦朧朧的，非常疲倦。此後的將來不想受到眼鏡的桎梏，而且，不戴眼鏡的話，也比較能找到好的工作。所以，雖然有點勉強，但無論如何都想治好我的眼睛，使視力恢復為〇・八左右。

因此，能否請您為我擬定一個特別訓練的計劃？我這個人就是這樣，人家一不嚴格，我就會怠惰，甚或背道而馳。所以，無論如何萬事拜託！

縱然我叫他：不要著急、輕鬆一點，也好像是無理的要求。但是，要想使逐漸退化的視力在〇・一時就此打住，不再增加，只是徒增煩惱而已。

來信找我談「視力恢復」問題的女性中，還是有些人會為了使視力恢復到〇・一以上，而不惜做任何犧牲。

那麽，就將我們針對S先生的問題所做的回答，摘取部分，記載於下：

根據來信，我們判斷您係為典型的壓力性視力退化。通常，人們處於沈重的壓力下時，本身是不會有什麽感覺的，但他的頭部以上都陷於血液循環不良的狀態。

若在該種狀態下做眼球直線運動，即是在缺氧狀態下做運動，因此，會加速眼球疲勞物質的囤積，而使視力益加退化。首先，去除您心中的壓力，才是最重要的。

我想請問一下您的個性，您是不是做事情從不馬虎結束？對於不懂的問題，也不會先略過，繼續做別的問題？舉例來說：解答試題時，若遇到無法解決的問題，您是否會臨機應變，將該題空下來，先做別的問題？

如果，您係為那種無法發揮「抓住竅門，臨機應變」的「拘謹」性格，那麽，不可置疑地，百分之八十您就是壓力性視力退化。若要使視力恢復，與其做眼球直線運動，還不如先改變您的個性，這才是當務之急（以下省略）。

由於下面還有一位M小姐的來信，且其內容諸多重複，所以將本封信的後半段省略不述。M小姐是一位住在靜岡縣、某女子高中的學生。

首先，讓我們先來看看M小姐的來信，她的來信和S先生有同樣嚴重的問題：

我是個高一的女孩。事實上，到去年為止我的視力左右眼都是一・五，但由於升上高一之後的某次視力檢查，我才知道視力已經減退到左眼〇・二、右眼〇・三。

雖然視力已如此嚴重地退化，但至今我卻仍然不去管它，而當四月份我發現自己的視力極度嚴重時，的確是震驚不已。其後，我就到書店尋找可以提昇視力的書籍，或者向朋友、老師、表兄弟請教。

然後，雖也覺得該想點辦法不可，但轉眼之間已是七月，接著終於在四月份以後初次去看眼科醫師。看了醫生之後，醫生說我左右兩眼的視力都是〇・一。

後來，我就按著醫生所開的藥方，每天吃藥、點藥。但在藥剛好吃完的時候，我去了美國一個月左右，而在那期間，一直沒對眼睛做任何的治療。

儘管如此，回來之後我的眼睛卻和去美國以前完全不同，可以看得很清楚了，這或許是托美國之旅的福罷！因為在美國時，我儘可能地多看綠色東西、不看電視、也不讀書，也就是說處在一種不使用眼睛的情況下。

但是，從九月份學校開學起，就無法像在美國一樣地悠閑度日，或不使用眼睛。結果，一整個學期重複的不安一直纏繞著我：「如果我盡量以眼球直線運動來訓練，視力還是很快地減退到〇•五的話……」，而且這種不安有越來越強烈的趨勢。

我耽心自己的眼睛習慣於戴眼鏡或隱形眼鏡之後，一旦不戴就什麼也看不到，所以，不管朋友怎麼對我說：「若不戴眼鏡或隱形眼鏡，視力很快地就會變成零點多度哦！」我現在還是沒戴眼鏡或隱形眼鏡。

我的視力兩眼都一樣，為了想要使一眼保持良好的視力，就遮著右眼看電視，所以，左眼視力比右眼更差。

但是，朋友也對我說：「那樣做不僅對眼睛不好，對頭腦也有不良的影響。」如果我要求視力恢復到一•五是太過勉強的話，那至少想要恢復到〇•八左右，總而言之就是不想戴眼鏡或隱形眼鏡。我一定會遵照您的指示去做，所以，有什麼好的方法請教教我吧！

單從這封信的字面上來判斷，M小姐有輕度的歇斯底里症狀。

在『恢復視力眼部肌肉訓練』中，我也一而再、再而三詳細地說明過：視力退化乃因眼部肌肉運動不足和偏差的使用方法所造成的，但這位M小姐卻把它當作耳邊風，將那最重要的部分完全拋諸九霄雲外。

此外，她先入為主的觀念很強，認為「要使視力恢復除了讓眼睛休息之外別無他法」，而眼睛休息時，視力該做何用途，這種想法也令她覺得矛盾。

真可憐啊！像她這麼做的話，對恢復視力並無助益。

這種視力退化的煩惱實在很嚴重，她甚至連何者是重要的？何者是不重要的？這種權衡輕重的判斷力都喪失殆盡。

我們針對M小姐的問題所回答的信，內容大約如下：

從來信判斷，您係為典型的壓力性的視力退化。也就是說，您的神經用在不需要的地方太過頻繁，而造成視力退化。（中間部分省略）

以您的情形來說，要恢復視力與其做眼球直線運動，還不如先改變您拘謹的個性，這才是當務之急。其次，用單眼看是最要不得的，這種行為一定會使得不用的另一眼發生機能障礙。再者，您信中雖未提及，但我想請問您是否患有手腳發冷，或頭痛的毛病？如果有的話，先將其醫好才是最重要的。

大部分的讀者都有一種傾向，那就是認為手腳發冷之類的毛病和視力退化並無關係，而不去管它，只單單做眼球直線運動而已。實際上，若要恢復視力，改善手腳發冷或慢性頭痛，遠比做眼球直線運動要重要得多。

如果您的個性係易感到壓力，那麼就有可能因此而使您腦中所有的血管萎縮。若血管萎縮，則必須從根本上改善您的飲食情況。茲列舉幾項如下，請多加注意：

①忌吃漢堡、炸雞之類所謂速食的高膽固醇食物。一星期頂多吃一次，再多就不行。

②忌吃拉麵、切麵之類。麵食只能吃日本麵（因日本麵含有纖維，其他則無。纖維可降低血液中的膽固醇）。

③絕對忌吃冰淇淋、果汁、可樂、炭酸飲料之類食品。它會使微血管阻塞、視力退化。

④持續地大量食用大豆製品。大豆製品即指豆腐、納豆、豆腐渣、毛豆之類。除了大豆以外，紅豆也很好。不過，市場上所賣的那種煮好的紅豆太甜，必須忌吃。此和③理由相同，會使視力退化。

⑤多為您的飲食花點腦筋，每天一定要吃海草類（裙帶菜、海帶、羊栖菜）的食物。海草類具有使微血管暢通的功效。

前述五項對於您飲食情況的改善該是當務之急。

請將上述事項牢記在心，並配合著做眼球直線運動。如此一來，視力就不再退化，大概會獲致好的結果。

那麼，如果真的有精神上的壓力，為什麼眼球直線運動就沒有想像中的效果出現?這一點在壓力性視力退化的生理學、醫學構造上有詳細的敍述。

而這也就是為什麼我給S先生和M小姐的信中，會建議他們改善飲食情況，實在是因其中有密不可分的關係。

有壓力時人體的生理反應

首先，要各位知道的就是在感受到精神上的壓力時，人體所引起的生理反應。

①自律神經中的交感神經活動旺盛。

②從副腎髓質中分泌出荷爾蒙的腎上腺素。

③瞳孔放大。

④心臟跳動加速，血壓升高。

⑤全身的末梢動脈收縮變小。
⑥呼吸急促、微弱。
⑦胃腸、肝臟的功能受抑制。

這七項反應並非從一開始，依序排下來，而是幾乎在同時間內，一起在人體內發生的。

壓力反應自原始時代起就未進化

事實上，遠在人類還沒有發現文明這種東西的原始時代，人們在叢林中、草原、海洋上遇到勁敵或獵獲物時，體內所起的反應就跟上述那一連串的生理反應是一模一樣的。

在這數百年間，人類的文化文明急速地進步著，但是，對其操縱自如的人體卻沒有什麼進化、也不太能適應這進步。

不過，對生物而言，不管是多麼細微的變化，都會受「DNA」（其在構造上很難變化）這種遺傳因子所支配，並且，只要DNA資訊中沒有變更，系統就不會有任何變化，所以，無法適應文化文明的急速進步也是不得已的。

總之，讓我來詳細分析前述七項壓力反應：

第①項所說的交感神經，具有一種自動運轉組織，即使生物沒有特別的意識活動，也能控制內臟，及維持生命活動。

該無意識的神經係為交感神經，簡而言之，在興奮時活動的是交感神經；在安靜時活動的是副交感神經。若感到壓力，當然交感神經的活動就會旺盛。

接著是第②項所說的：從副腎髓質中分泌出來的荷爾蒙腎上腺素，知道這種荷爾蒙名稱的人很少，即使知道，也都不太了解其作用為何。

腎上腺素的作用很多，其中最重要的是：受傷流血時，可加速血液凝固的速度、抑制出血量。從放出腎上腺素開始，至血液凝固為止，所需的時間比沒有腎上腺素時，約快五分之一左右。

此外，腎上腺素也扮演資訊傳達之物質的角色，可使積存在肝臟和肌肉中的肝醣葡萄糖化，並放出至血液中。

又，膽固醇也會和血液中的脂肪酸，依照腎上腺素的指令，同時急遽地增加。

腎上腺素是原始時代遺物的典型

腎上腺素是原始時代遺物的典型，這句話該怎麼解釋呢？只要您想像一下原始時代、或沒有像現代的科學文明的時代，那種戰鬥、狩獵的場面，馬上就可以理解其意義。

欠缺想像力的人，也可以想像一下哥倫布發現新大陸以前，美國印第安人的生活情形。原始時代沒有槍砲，也沒有炸彈，戰鬥、狩獵時，都是使用極簡單的武器來做「肉搏戰」。幾乎令人無法想像的是：他們必須使用手腳的肌肉，直到極限為止，而且，在成功地打倒敵人或獵獲物之後，也毫髮無傷。

我認為戰鬥至最高潮之後，手腳有些擦傷，這也是理所當然的事。

因此，會放出腎上腺素，來加速血液凝固的速度。

此外，依照腎上腺素的指令，而在血液中準備的葡萄糖、脂肪酸、膽固醇，是肌肉活動時所消耗之效率良好的能量。

首先沒有想過因讀書用腦而受傷這種事，所以，加速血液凝固速度的腎上腺素簡直是白白準備。但是，我覺得即使是用腦也會消耗能量，所以，準備葡萄糖、脂肪酸、膽固醇這種事，在外行人看來並不是那麼徒勞無功。

如果想像一下：「極致地使用全身的摔角選手、馬拉松選手，若和老是伏案苦讀的學者吃著同樣卡洛里、同樣菜單的食物，共同地生活在一起，那將變成什麼樣的情況？」馬上，您就了解問題何在。

依照腎上腺素的指令，而準備於血液中的葡萄糖、脂肪酸、膽固醇，就如同為了一杯小小的咖啡，而拿出一大袋的砂糖般，過分地多了。而且，因這種腎上腺素的「分泌過剩」，不僅造成視力退化，也成為所有成人病根本上的元凶。

總之，也可以說：有壓力時所分泌的腎上腺素，是原始時代遺物之生理反應的典型。

壓力反應全部是戰鬥準備反應

茲將再針對上述所列的壓力反應的其餘項目，加以說明之：

第③項所說的：瞳孔放大，是為了在黑暗的地方看清楚敵人或獵物，若是在陽光強烈照射、明亮、寬廣的地方，伏擊敵人或獵物，則瞳孔根本不會放大。

順序稍微顛倒一下，先來說第⑤項：全身的末梢動脈收縮變小，這是為了將受傷時的出血量抑制到最低的限度，可以說和加速凝固速度的腎上腺素的分泌，是同樣性質的生理反應。

第④項所說的心臟跳動加速、血壓升高，乃是一種補充作用：由於第⑤項的反應中，用來輸送血液的血管變細，而使血液的「輸送效率」惡化，所以就增加形同抽水機的心臟之循環次數，以彌補之。

而且，末梢肌肉處於必須充分活動的狀態下，因此，所需的能量乃是平時的數倍。輸送血管變細，卻反而想增加比平常還多的輸送量，所以，當然就要增加壓力，使血壓升高。

第⑥項所說的：呼吸微弱，是為了防止敵人或獵物因為聽到呼吸聲，察覺到自己的存在，而逃跑掉，但如此一來必定會減少空氣（氧氣）的攝取量，所以，要增加呼吸的次數，以彌補之。

第⑦項所說的：胃腸、肝臟受抑制，此乃因為從現在起，就要進入「戰鬥」、或「狩獵」這種需要頭腦清醒、理智的狀況，若在這時候，胃腸蠕動而有排泄物、想要大小便，的確是糟糕透頂！

如果緊張狀態、強烈的壓力狀態持續很久的話，那麼患便秘的人就會很多，其理由可在看過上述說明後得到理解。

總而言之，壓力反應全和原始時代的戰鬥準備反應一模一樣，即使是現代，人類的生理方面好像從槍、棍棒、刀的時代開始，就無所進展似的。而且，這種戰鬥準備反應所包含的問題點、矛盾處，就那樣原封不動地成為與視力退化有關的原因。

末梢動脈收縮是最大的癥結

戰鬥準備反應所含有的最大問題點、矛盾處係一種為了防備受傷流血，所以末梢動脈就收縮變細的現象。事實上，戰鬥時為了自我防衛而造成這種現象，也是沒有辦法的，但，連「動動腦」這種不可能受傷的行為，也會使末梢動脈收縮變細的話，就很糟糕。而，這都是因為血液輸送效率減低、血液循環不良所引起的。

如此一來，雖然有充分的葡萄糖、脂肪酸、膽固醇等能源，但是，用來燃燒、取出能源的氧氣則會供應不足，而呈現一種不完全燃燒的狀態。

這種狀態會在人體中發生，其情形就宛如在一間通風不好的房間內，熊熊地燃燒煤油爐或瓦斯爐一般。

疲勞物質——乳酸，會引起各種障礙

不過，在缺氧狀態下熊熊地燃燒爐火時，所產生的是煤氣和一氧化碳；而在人體內不完全燃燒狀態下，所產生的是乳酸。

說到「乳酸」，任誰都會想到養樂多或可爾必思這種代表性的乳酸飲料吧！的確，該種乳酸就是不完全燃燒下的產物。

最具代表性的能源——葡萄糖，和紅血球中的血色素所帶來的氧結合之後，會燃燒起來，並且從一分子中放出六百八十八公升卡洛里的熱量，然後變成二氧化碳（碳酸瓦斯）和水，其情形就如同燃燒紙一般。

可是，如果因為血液循環不良，所帶來的氧不夠量，則葡萄糖中未完全燃燒者，會產生乳酸。此時，葡萄糖一分子只放出四十七公升卡洛里的熱量。

由於要使其產生有六百四十一公升卡洛里差額的熱量還綽綽有餘，所以，從嘴巴吃進乳酸，並消化吸收之後，會變成一種養分。

那麼，比方說點燈的時候，電燈中的能源並不是全部都變成光線，也有一些變成熱量而散失掉。同樣地，人體內在燃燒葡萄糖時，所放出的熱量也不全都充做人類的能源之用，也有一些變成無用的熱量而散逸掉。

結果，葡萄糖完全燃燒的情形，與不完全燃燒而在乳酸階段停止的情況相比，二者之間的效率差額正好為十九比一。

也就是說，因血液循環不良，而紅血球未帶來足夠的氧時，為了維持生命的活動力，所消耗的葡萄糖、脂肪酸、膽固醇等能源，為血液循環良好時所消耗的十九倍之多。

乳酸進入靜脈中，而被送至肝臟後，會在該處再合成為肝醣，原本是因血液循環不良，而使氧氣不足無法完全燃燒，才產生了乳酸的，結果，不但會再成為肝醣，而且漸漸地積存在組織內了。

乳酸是造成「硬塊」的元凶

或許是我外行人的想法，不過，我覺得只要使房間通風良好，隨時深呼吸，就不會發生這種缺氧狀態，但，實際上這卻是人體內非常普遍的一種現象。

因氧氣供給不足而立刻陷入缺氧狀態，其最具代表性的組織有三個：劇烈運動後的肌肉組織、思考活動後的腦細胞、及看物體時的網膜。

而且，乳酸具有容易與生物組織內必定會有的蛋白質結合之特性，結合之後，該處就會硬化了。

而，乳酸和肌肉蛋白質結合後的狀態，最具代表性的有：因激烈運動，肌肉就變得非常僵硬、肩上的肌肉因疲勞而僵硬、睡時扭了筋的「肌肉發硬」等。

手腳、肩膀、脖子等發生了乳酸聚積的現象時，馬上就可以察覺到「硬塊」。但是，腦細胞、網膜、眼球等同樣地發生了乳酸蓄積的現象時，若非相當注意是無法察覺的，再加上本人沒有什麼常識的話，即使有了自覺症狀，他也不會知道，因而就出問題了。

視力退化的原因是「眼球硬化」

肩膀嚴重硬化、或睡時扭了筋時，人們通常做何處理？是否只是讓身體休息、並且置之不理，直到好了為止？其實不然，如果那樣做，也無法安安靜靜的啥事也不做，無論如何都一定會勞動到身體。如此一來，疲勞物質——乳酸就會越積越多、症狀就會越來越嚴重。

所以，就要費盡心思、想盡各種方法來除去乳酸，例如：馬殺雞（按摩）、針灸、低周波、遠紅外線……等。

但是，如果是腦細胞或眼球，儘管其同樣地發生了乳酸蓄積的「硬化」現象，但只因還未有自覺症狀出現，所以大多數的人都像是事不關己似地置之不理，而沒接受任何治療。所以，症狀就嚴重了起來，眼部肌肉、毛狀體肌也都陷於無法動彈的狀態，而使視力退化，並且，擴展至周圍的眼部肌肉也都變成「眼球硬化」。

剛開始做運動的人，體力稍微一透支，手腳肌肉就會變得非常僵硬。

在這種狀態下繼續運動的話，過不了多久，就會困於想動也動不了的窘境。

既然眼球周圍的肌肉、毛狀體肌和六條眼部肌肉都是肌肉，若在有疲勞物質——乳酸積壓的狀態下不斷地運動的話，就會如同不斷地勞動已經非常僵硬的手腳肌肉一般，而陷入無法動彈的狀態。

因此，我們便抱有一種假設：焦點距離於遠處匯合且無法動彈，就是遠視；焦點距離於近處匯合且無法動彈，就是近視。

若特別看待毛狀體肌和眼部肌肉，就找不出問題癥結所在，所以，若將其與手腳肌肉一視同仁，即可在事前防止視力退化，並可使視力恢復到原先的水準。

應該像鍛鍊手腳般地鍛鍊眼部肌肉

總之，若能以鍛鍊手腕和腰腿肌肉相同的想法，來鍛鍊眼部肌肉和毛狀體肌，當然是最好的。而其鍛鍊方法為：連結式的眼球直線運動。

手腕和腰腿若給予適當的運動，會使肌肉越來越發達。若觀察發達但纖細的肌肉內層，就會發覺和不太運動的肌肉比起來，從細部來看其毛細血管較為發達。

肌肉組織因運動而要求更多的氧氣，因此，身體會自行提高氧氣輸送效率，以配合所需。另外，我們也可了解為什麼在氣壓低、氧氣稀薄的高地上做訓練，紅血球就會增加。

像這樣的例子可知人體有適應環境的能力。

環境適應力，不光是有像這樣正面的影響力而已，也有負面的影響，如果從高地回到平地，紅血球會馬上恢復為原來數目，如果做運動，曾經很發達的肌肉也會鬆弛下來。

還有，在無重力的宇宙間飛行的太空人，若不給予人工重力等負擔的話，因不需支撐身體，其骨骼中的鈣會慢慢地消失，而當其返回地上時，整個人會虛弱到沒有保護者就不能站立的狀態。

視力退化是積壓乳酸和運動不足所致

如同以上反覆所述的狀況一般，發生視力退化乃是肇因於疲勞物質——乳酸在眼球上堆積，並置之不理，及因為運動不足而肌肉鬆弛所致。

如「二點閱讀」訓練所知，人類的眼睛有以相當的速度掃瞄的能力，但平常看書或工作時，只用了這種天生能力的幾分之一至十幾分之一，這種極其緩慢的速度來移動視線而已。

這種緩慢移動的速度，在我們生活中來看，就等於國會議員展開為了使議案遲些通過的牛步戰術。

據說，剛當選、經驗淺的國會議員，若照上級的指示執行牛步戰術，由於不能隨心所欲地去做，就會疲憊之至；但是在日常生活中也照牛步的速度走的話，這個人腰腿的肌肉，究竟怎樣呢？不用想一定是又瘦又萎縮。

由於這是一種疲勞的動作，所以，該動作未必會使得所用部位的肌肉發達，相反地還可能使其越來越衰弱。

於是，所謂的衰弱，也就是在惡劣的環境適應上，組織內部毛細血管的數量減少，氧氣的供給效率變差，稍微動動就很容易在組織內堆積疲勞物質——乳酸。

競走對腰腿的肌肉來說，負擔最輕並可使其發達；同樣地，為了不使視力的功能降低，必須以適當的速度掃瞄，以給予眼部肌肉適當的負擔。

這種適當的速度，大概是已學成初速讀法時的水準，因此速讀法的訓練對眼睛疲勞和視力退化的預防上，應該可以發揮很大的效果。

為什麽壓力會成為最大的負面因素

但是為了使我們的腰腿肌肉更發達，必須在氧氣的供給非常充足的條件下進行訓練不可。因為有了氧氣的供給，身體才能適應地使微血管發達，如果在氧氣不足的密閉房間內進行訓練，只會危害身體健康。

眼部肌肉和毛狀體肌也是一樣，必須在氧氣供給充足的狀態下運動不可。

如前面所述，感到壓力時，身體會有生理反應等問題產生。

若有精神上的壓力，人類就會產生與原始時代的戰鬥準備反應相同的生理反應，為了防備受傷出血而加強收縮末梢動脈。如此一來，血液循環量依血管截面面積比例而減少，供給的氧氣量也以同樣的比例減少，於是造成了缺氧狀態。

這時可以提高心跳次數和血壓來彌補氧氣的不足，但如果只有這樣，當然也是不夠。此時，如果手腳正在活動，則活動中的肌肉便會從外側壓緊、放鬆血管，將血管內的血液由動脈傳送至靜脈，以支援心臟的活動。

如果能夠想像一下擠一支所剩不多的美奶滋管時，從底部向出口擠出的情形，我想大概就很容易理解了。此時美奶滋就像停滯的血液，擠壓的手指就像是血管周圍的肌肉。

但是沒有學成速讀法的人，看書的情況會怎樣呢？一旦有壓力產生，肌肉就幾乎不能運動，因此，血管的截面面積減少，血液循環量越來越少，而完全不能進行彌補不足部分的工作。

由於氧氣的供給量減少、怠惰於做肌肉的輔助運動，這二項雙重作用使得整個眼球上會積壓乳酸，並困於慢性的「眼球硬化」，而造成視力退化。

可以說能夠圓滿解決這二項因素的只有速讀法，而綜合前面所述，相信任何人都已能瞭解了吧！對那些只做連結式速讀法，卻得不到恢復視力效果的人而言，乃是因為其忽視了速讀法的本質——學習速讀法時，要消除讀書或工作時的壓力。否則，就好比用竹簍汲水一般

「徒勞無功」。

沒有接受速讀法訓練的人，本身或許不自覺，但是一接觸文字時一定會感受到或大或小的壓力，所以希望他們一定要學成速讀法來減輕壓力。

對「Technostress」症候群也可發揮效力的速讀法

從事電腦及文字處理機等ＶＤＴ作業的人們中，困惱於視力退化和眼睛疲勞的人最多。據說最大原因是由畫面所放出的放射線。雖然已安裝了遮斷放射線的裝置，但卻沒有聽說發揮什麼效果，使困擾於視力退化的人數減少。

這是為什麼呢？其乃由於錯以為因ＶＤＴ作業而使退化的最大原因是放射線等，其實不然，最重要的原因乃是在讀取所顯示的文字時，所感受到強烈的壓力，如此一來，當然就沒有什麼效果。

當然也不能說放射線就完全沒有影響，但其只是占一小部分而已，只要讓因為ＶＤＴ作業而視力退化的人學成速讀法，以減輕工作時的壓力，問題差不多就可迎刃而解了。

我們來聽聽這位因ＶＤＴ作業，而視力退化的澤田浩二先生的經驗談，看看他如何成功地以連結式速讀法恢復為原來的視力：

我在電腦界服務三年，經過視力檢查，才知道視力退化了。剛進入公司時，原本一・五的視力，已經退化到〇・八了。的確，那時眼睛很快就會疲勞，只要看書、操作文字處理機一個小時，眼睛就會感到疲勞而睜不開，再加上精神上的痛苦，對工作的集中力也就降低。

但是為了打電腦及文字處理機，這也是沒有辦法的事。

就在此時，我看到連結式速讀法，知道它可以恢復視力，於是決定開始練習。所謂速讀的基本練習是將視線快速地上下左右移動，或很快交替地看遠近的物體。

起先眼睛或多或少會感到疲倦，但每天習慣地反覆練習後，看字的速度一定會很快，即使長時間看字也不會視線模糊，視力好像越來越好了。據說視力退化的原因之一是因為長時間凝視一點，而使得血液循環變得不好，該部分的功能明顯地減弱。藉由速讀練習，可以給予眼睛適度的刺激，這樣做對視力的恢復很有幫助。

開始速讀不久，就沒有了因文字處理機等ＶＤＴ作業，而感到眼睛疲勞的情況，一接受視力檢查，令人驚訝的發現，我的視力竟恢復至原來的一・五。

ＯＡ機器推銷技師　澤田浩二

這位澤田先生目前在大宗買賣的電腦公司（歐比克辦公室自動化）中工作，由於親自體驗到連結速讀法的優點，所以在工作單位致力銷售恢復視力訓練用的電腦軟體及連結速讀法自修用的電腦軟體。

若充分地從生理上、醫學上了解造成視力退化的原因（本書中有詳細說明），並配合諸如此類的軟體及各種視力恢復方法來加以訓練，即使說是先天性近視而不可能恢復的人，也非常有希望恢復視力。

和其他視力恢復法的連結

在此，有關連結速讀法以外的視力恢復法，是否真的可行？若與速讀法的訓練連結的話，究竟會如何呢？讓我們以科學觀點分析看看。

首先，大多數的視力恢復中心採行的遠近交互觀看等的訓練，可鍛鍊眼部肌肉與「毛狀體肌」使之更發達，這一點在原理上和眼球直線運動有共通的要素，可以有某種程度上的視力恢復效果。

但是，因為忽視了從看書、VDT作業等接觸文字的實際生活中排除精神負擔之類的關鍵，所以，對那些看書時間、VDT作業時間太長的人來說，重複地使用訓練來按摩眼部肌肉，以恢復視力，該效果在看書之類時等於零，即所謂的「用竹簍汲水」。

或者，因故而怠惰眼部肌肉的訓練，不久視力就會呈現退化的狀態了。

希望那些在視力恢復中心受訓或以眼球直線運動來訓練，而卻只能得到短暫效果的人，無論如何請學成速讀法，來減輕看書時或VDT作業時的精神負擔。

針灸、超音波、低周波等是否有效

其他，據說有視力恢復效果的，還有以針灸、超音波、低周波等物理刺激的治療法。

但是該效果的程度不一，在我們所收集的資料中，最好的恢復率是50％至70％的程度。

這些物理治療法究竟是以什麼原理來恢復視力的？說起來也不過是使停滯不順的血液流通，並去除積存的乳酸罷了。已經知道這些治療法對肩膀酸痛等非常有效，並且可以馬上感覺是否有效，但是在視力恢復的情況時，就不是這麼簡單的。

如同前面所述，即使眼部肌肉酸痛，自己也不容易察覺，此外，在人體的構造上，並不能直接在眼部肌肉上治療。這時候的情況，就如同諺語「隔靴搔癢」一般，在眼睛的附近加以治療，對眼部肌肉或多或少會有影響。

因為沒有像治療肩膀酸痛那樣有效，所以必須經常去做治療。

完全沒有效果的人和只有短暫效果的人

在血液完全流通的情況下，可確實地去除眼球及周圍所積存的乳酸，但容易感到精神負擔的人，因為在看書及工作時，會使血管收縮，所以容易發生乳酸積存的狀況。

以物理治療法去除乳酸時，因其另一方面也正拚命地積存乳酸，所以大體來看的話，完全沒有任何效果。

另外，大多數人在使用時會有短暫的效果，但是過不了多久馬上會恢復「原狀」。因為這些人眼部肌肉已經疲乏，所以容易疲勞。

這就如同一個人住院後，整天光只是躺在病床上睡覺，等到他出院後，即使開始做復健運動，也無法持久，很快地就會疲倦得動彈不得，這是因為他的肌肉已經鬆弛了的緣故。

因此，若學成速讀法以排除看書及工作時的精神負擔，再加上施予物理刺激的治療法，則可以快速移動視線的一種「慢跑效果」來訓練眼部肌肉，並得到加倍的連結效果，而視力也可望加速恢復。

使用針灸、超音波、低周波等物理刺激法治療所帶來的種種問題，請以本書的方式來檢查患者眼部肌肉的疲乏狀態，並著手治療。

如果這樣做的話，就不會造成過失，毫無疑問的，治癒率也會大大地提高。

骨盤調整、脊椎指壓療法有效嗎

其他，據說有恢復視力效果的治療法還有骨盤調整、脊椎指壓療法等等。

這些治療法是否有科學根據呢？根據從事治療的多方情形及長時期的經驗來看，再加上好好地分析思考之後，其確實有科學的根據。

也有學者說：「人類是哺乳類中唯一可以直立步行的，現在已能完全適應直立步行的生活。」

但是，若說到骨骼是否已發展完全？則似乎可以說：「還有待進化」，仍停留在這種不完全的狀態。若頸椎、脊椎、骨盤無法完全支撐體重，且周圍的肌肉因為運動不足等原因，功能減弱的話，則頸椎等就容易發生挫筋。

如此一來，由於頸椎、脊椎等並不只是特別用做支撐體重的「支柱」，其內部還有神經、血管，所以如果挫筋的話，該部分就會受到壓迫，而使血液流通不順暢。

例如，將一條橡皮水管拉直時，和將它彎成S形時，其截面面積各是多少呢？還有，其內部的水流情形又是怎樣呢？請想想看。

若將水管弄彎的話，該部分的截面面積會減少，並且，若再將水灌進水管內時，很明顯地抗力會增加、水流過的速度會減緩。

當頸椎挫筋時，對視力特別有不良影響，其乃因為頭部的血液循環變差，所以連帶地眼球和腦細胞的血液循環也理所當然地變得不好。

其情形就如同在河川上流建造水庫，而使水流減少，但即使下流什麽問題也沒發生，水量也不會增加。

頸椎發生挫筋，主要是因為血液循環不好，即使學成速讀法，可自看書等生活習慣去除壓力，但對提高視力也沒有多大的成效。

還有，儘管已矯正頸椎的挫筋，並且血液、神經等的循環良好，但，如果是一個容易感受壓力的人，則如同在河川下游關上取水口的活門一樣，仍然得不到成效。

這時就可明瞭一件事：將速讀法的眼部肌肉訓練和去除壓力等連結並用，就是恢復視力的最佳捷徑。

中國式的眼睛體操

在本書的開頭也介紹過其他的視力復健訓練，其中有一種是：本多傳博士以靜岡縣為中心，而一直提倡的中國式眼睛健康體操。

這種體操將在下一頁附圖中介紹，是一種藉著在眼睛周圍的血液經絡點上按摩，使得眼球的血液循環良好的健康法，對靜岡縣的學童已有顯著的成效。

東方醫學上所謂的「經絡點」，就是血液或淋巴的循環特別容易阻塞的地方，根據我的經驗，若以指壓、針灸等來刺激此一點，使循環保持良好的話，則沿著經絡點的所有器官及組織的血液循環都會很好。

總之，所謂經絡點的血液循環不好，是指其下所有的器官和組織的血液循環不良；眼睛周圍的經絡點血液循環不良的話，就和頸椎發生挫筋時一樣，如同在河川上游建造水庫來阻

眼睛之健康體操圖解

（眼睛之健康體操全部共有四節）

（本多傳博士提供）

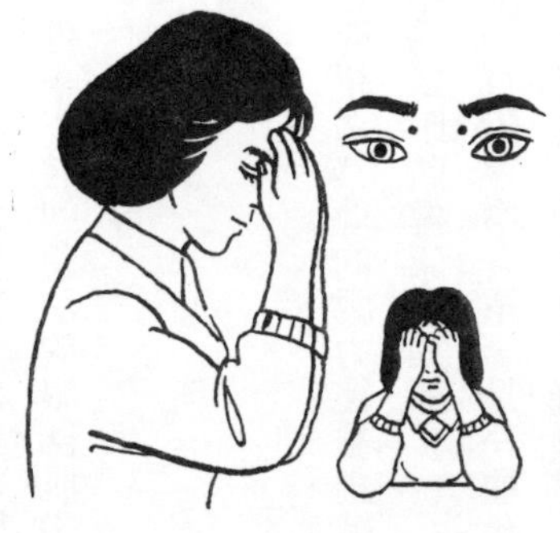

第一節　按摩天應穴

以左右手之拇指指腹輕按左右眉下方、眼睛周圍的部分。其他四指彎成弓形、支撐額頭。按摩的部分不要太大。

第二節　捏住睛明穴

以左手或右手大拇指和食指捏住鼻樑。先向下捏，然後再向上捏。

第三節　按摩四白穴

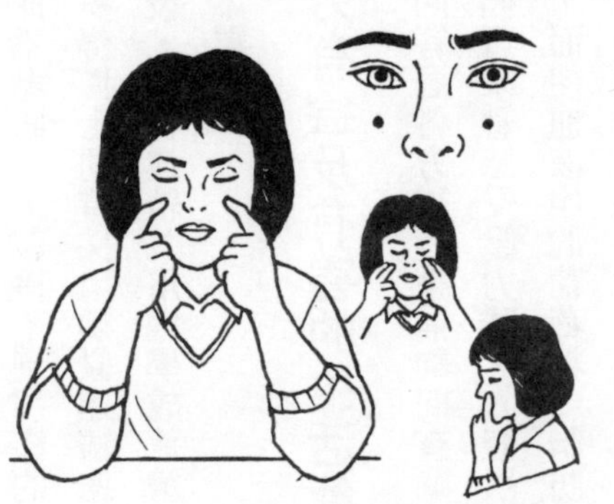

首先左、右手的食指及中指一齊緊緊地壓住鼻翼的兩側，大拇指則用來支撐凹進去的下顎骨部分。然後移動中指來按摩臉頰的中央部分。注意千萬不要移動關鍵位置。

第四節　按住太陽穴、繞著眼睛周圍按摩

四指內握、以左、右手的大拇指指腹按住太陽穴，以左、右手食指的第二關節內側來回按摩眼睛周圍上、下。由眉頭至眉梢、下方是由內測的眼角至外側的眼尾，先上後下，上下來回按摩、數四拍。

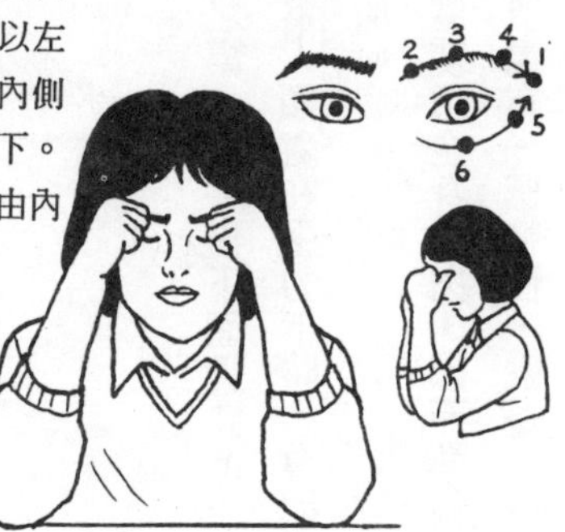

礙水流的情形一般，眼球的血液循環不好，容易積壓令人疲勞的物質——乳酸。

可藉此種健康體操來預防積壓乳酸。但是，若僅去除乳酸而不訓練眼部肌肉的話，如「畫龍而不點睛」，就得不到那樣的效果。

本多傳博士同時採用類似連結速讀法的眼球直線運動及健康體操，這樣就可以提高效果。以後，若再連結並用地學成速讀法，以減輕看書或工作時的壓力的話，則無異可說是「如虎添翼」。

對視力有益及有害的生活飲食

雖回答過各方讀者來信詢問有關生活飲食中應注意之事，但，再下面仍要進一步說明。我們再來看感受壓力時，人體所產生的生理反應。當人類處在壓力下時，會因腎上腺素的作用，而使血液中的葡萄糖、脂肪酸、膽固醇急劇增加。

係由於假設：為準備戰鬥，將會在高速運轉狀態過度使用全身肌肉，因而準備的，其乃一種供給過剩。如果是單純的供給過剩就好了，這些物質還有一個特性，就是：會提高血液的粘性，而使循環惡化。

請想像一條本來流著潺潺細水的導管，現在卻流著像油一般稠稠的流質，那將是一種什麼樣的情況。

如果不用的話，會使得毛細血管的循環不好，更會加速血液循環不好的狀態。

若看書時有壓力的話，會因末梢動脈的收縮而減少氧氣的供給量，且眼球不太運動，而又怠惰於其「輔助活動」（從外側壓住血管、來傳送血液的活動）等雙重作用的話，就會堆積許多令人疲勞的物質——乳酸，這在前面已經提過，事實上還有一個引起血液循環不好的原因，可謂三重作用。

因此，對特別容易感到壓力的人來說，為了不使血液的粘性提高，必須注意充分地攝取那些由葡萄糖、脂肪酸、膽固醇所構成的食品。

如何做具體的生活計畫

講了這麼多，相信您對如何解除眼睛疲勞、防止視力退化或恢復良好的視力等細節，大概都已經瞭解了吧！

但是，您可能不知道怎樣來訂立一天的生活計劃表較好。

因此，早上起床後到晚上睡覺前，究竟怎樣的生活可使眼睛最有效率地解除疲勞、改善視力，並且對速讀法又有正面的幫助?請試著建立一天的行動計畫。

現代社會因人際關係或複雜的工作，而到處充斥著壓力，因此，患上壓力型視力退化的人越來越多。為了防止壓力型的視力退化，無論如何也要藉連結方式使右腦活性化，也就是說，必須造成一種意識的「分散集中」狀態。

因此，這個行動計畫設計中，同時也包含了使右腦活性化的計畫。

但是，這些只不過是生活設計中的一個範例，並不是說絕對要按照計劃這樣做。

這種「想當然耳」的事，為什麼我還要加以說明呢?此乃因為發生壓力型視力退化的人，大多數都有一種「死心眼」的個性，若在生活上有一個具體的計劃擬訂出來，他們的潛在意識就會這樣想：

「就照著計劃表來生活吧!」

「非生活不可!」

如此一來，又形成一種壓力、更使得眼睛疲勞、視力退化。

不管再怎麼理想化的生活，這麼一來就都如同忘了在浴槽中塞塞子一般，到頭來什麼也沒有，徒勞無功。

我們想要某種程度的保留，但不希望因為疏忽而造成任何人受害，而謹慎沈著準備，不論實行幾成的計畫，成效好才是重點所在。那麼，讓我們介紹一些具體的生活計劃吧！

起床後到出門之前

如果睡醒，任誰都會先洗臉、刷牙。做完這些例行的事，而在做下一件事之前，先將兩手在背後叉腰，挺直脊樑，並自然而然地擺擺頭。

如果在睡眠中，頸椎有輕微的挫筋時，不但可修正並且可使頸部的血液循環變好。這個運動能夠防止因頸部的血液循環不好，而導致眼睛疲勞及視力退化。

有下列情形的人，很可能是頸部血液循環不好的緣故，所以，並不限於起床時才可做這種擺頭運動，一天內不論做幾次，只要一想起來的時候都可以做：

①早晨睡醒以後，覺得頭重，心情不舒暢，沒有睡飽的滿足感。
②睡覺時常常會睡扭了脖子。
③接吻時，脖子很容易就內出血。

做過擺頭運動之後，大大地伸展兩手，邊迴轉、邊動肩膀，非常有輔助效果。

然後做深呼吸。當然，深呼吸可提高血液中的氧氣濃度，以去除頭部，甚至全身的疲勞物質，但是世界上有很多人誤以為「所謂深呼吸，就是深深地吸入一口氣」。

其實不然，就如字面上所示，「深呼吸」的「呼」字在「吸」字之前，所以儘可能吐氣，讓留存在肺中的二氧化碳（碳酸瓦斯）等於零，徹徹底底地吐完之後，再深吸一口氣。

這樣的話，新鮮的空氣就會自動地進入肺中。

簡單的說，檢查肺活量時，或一口氣吹氣球時，吐氣的方式就是理想的深呼吸，做這樣的深呼吸時，會提高血液中的氧氣濃度。其中也有人一做這種深呼吸，馬上會有疑似頭昏、腦貧血的症狀發生，事實上這個人可能是全身慢性的缺氧狀態。

因此，在一天之中不論幾次，只要一想到的時候，就有必要做些深呼吸來清清我們的肺。另外還有些人常便秘，無法每天（儘可能在每天早上）定期的排便，交感神經會持續興奮（壓力積壓的結果），橫隔膜以下的內臟都處於缺氧狀態下。

這樣的人與其吃一些差勁的便秘藥，不如做些深呼吸來得有效果。

在廁所裡，事先放本可隨手翻閱的書。

利用排便中極短的時間，做些翻頁訓練，可使右腦活性化、提高動體視力（看清快速移動的物體之能力、或快速移動視線的能力）。

此外，還可維持已經提高的動體視力。

若想長時間持續地做翻頁訓練，實在是辦不到的事。所以，利用像排便等較零碎的時間頻繁地來做，比較實際，也比較有效率。

早上看電視的人，可以邊看電視邊做些眼球直線運動：利用映像管的四個角落，如8字形、蝶形般地移動視線，或繞著電視螢幕的四周圍很快地向右、向左轉動視線。

因為不間斷地做這種運動會造成眼睛過度勞累，所以只有在廣告的時段才做，這樣就不會太過勉強。看報紙的人也要注意，不要一個字一個字地看，應該將視線放在段落的中央；也不要上下看，應該一橫線地看下去。

不移動視線就無法訓練眼部肌肉，所以，這個運動是一種可擴大視野、視幅的訓練。

報紙的新聞記載一段差不多十三到十五個字不等，練習著將整段一下子地看完。

在接受速讀法的訓練時，依各人的情況而定，有人當天即可學會這種讀法，勉強一點也有八〇％以上的人可在數天內學會此速讀法。

即使是週刊，也可以做同樣的訓練。

「掃瞄各行、並且快速、正確地閱讀」，這樣的速讀法的確具有像做眼球直線運動的效果，但人類還是不該處於持續緊張的狀態下。

若同時使用這種識幅擴大訓練，就可讓眼部肌肉得到適度的休息，並可擴大視野，以其他角度來說，就是會使視力提昇。

所謂的擴大視野，事實上就是使右腦有效地活性化。

其次是早餐。對那些早上沒有時間弄早點的人來說，隨便以咖啡或紅茶加上土司、蛋等，來裹腹就出門去，這是最不好的。

這些飲食根本不需要使用到下巴。說得難聽一點就是「囫圇吞棗」。

像這樣不使用下巴，會引起頭部的血液循環不好。

然後，引起整個頭部的血液循環不好，日積月累就會對視力造成不好的影響。

難以相信這種事的人大概很多吧!但對慢性頭痛（這是因腦細胞的缺氧狀態所引起的）的治療上無害且最有效的方法是，儘量多使用下巴去咀嚼食物。

舉個實例來說：有一個患有惡性頭痛的人，不論吃什麼樣的頭痛藥，卻老是治不好，後來聽從醫生的指示，經常嚼口香糖，不久，終於從慢性頭痛的夢魘中解脫出來。

出乎意外地口香糖不但糖分高，而且也沒有想像中的那麼好，還是飲食上加入多使用下巴的菜，比較好。小孩子最喜愛的咖哩炒飯和漢堡牛肉餅等食物，也是在同樣的理由下，不該列入菜單之中。

如果想要養育成績優秀的孩子，儘管注意到營養與卡洛里的均衡（當然這也是非常重要的），但卻光是讓他吃「細、軟」食品的話，會因為頭部的血液循環不好，而使腦細胞處於不活潑的狀態，就永遠像用竹簍子撈水，白費力氣。

也許有人要說：「我們家的小孩，才沒有像你所說的那樣『成績優秀得很哦！』」如果是那樣的話，就是因為不活潑狀態的腦細胞，才僅能得到那樣的成績，所以，如果再在飲食上花點腦筋，相信您的小孩一定更棒、更聰明。

因此，我們的飲食生活中若多用下巴，就可鍛鍊頸部的肌肉，而且頸椎也不容易引起挫筋。因頸椎挫筋而使頭部的血液循環不好，這種事是可以預防的。

發生車禍時，也可以減少發生一些頭痛、骨痛等後遺症。

還有，多用下巴當然就會多分泌唾液，而唾液一多，就會抑制交感神經的作用，並且使副交感神經活躍化。所以「副交感神經活躍化」，指的是壓力減輕，而且腸胃的蠕動也會活躍起來，便秘及痔瘡等也會漸漸改善。

如此一來，內臟中的血液循環就會變好，接著全身的血液循環都會改善，還有腦細胞及眼球的血液循環也會改善。但，這不是一朝一夕就能改善的，除了提高當天讀書和工作的效率外，還必須配合一頓多用下巴的早餐，才是重點。

有時間的人，可在出門之前，做一回速讀法的訓練。

即使沒有做完全部步驟，不按順序、中間省略地做完差不多四個步驟，也會有效果出現。合計大約要10分鐘～15分鐘才能做完。

若要做完所有的步驟，則可利用夜晚或假日等時間較充裕的時候來做。

時間不夠的人，即使不能做，而只在回家後做，或每隔一天才做，都不必擔心，因為還是會有那種效果產生。個性認真的人，如果不想做速讀法，會覺得好像有「罪惡感」，但這並不是為了別人而做的訓練，所以，可以輕鬆一點。

而，沒有定性的人，即使一個禮拜後想起來，再重新做訓練，也是可以。

上班、上學的途中

離開家到公司，或到學校之前的時間內，諸位應該是無事可做的。

善用這段時間，就可以進行很多令人吃驚的視力改善、右腦活性化的訓練。

首先，走路的方式。大家平常大概只是漫步而已，最好走路時要像有意志地，將力氣注入兩隻腳的五隻腳趾內一樣。

各位只要想像一下穿木屐時的走路方法即可，若慢吞吞地走，腳趾又不出力，鞋子馬上就會脫落。

但是，這樣的話，腳馬上會痛，到時就知道自己是如何地讓腳步肌肉養尊處優了。

如果採用這種意志地使用腳趾走路的方式，會改善腳的血液循環，並且連鎖反應地也會改善腦細胞的血液循環。這樣一來，頭腦既清醒，又對視力有好的影響。

「踩竹健康法」就是應用這個原理，如果在家裡想到時就踩踩竹，大概就可以改變原先的走路方式。如果覺得疲勞就暫停休息一下再做。

每天做，並逐漸加長時間，則對那些容易手腳發冷的人特別有效。

同時和眼睛的訓練一齊進行。諸位平常上班、上學途中的景色，因為都是常見的風景，所以漫不經心地瀏覽，頭腦裡想著公司、學校的事或其他關心的事。

這樣漫不經心地瀏覽四周的景色，對視力是不好的。

這是因為完全沒有使用到眼部肌肉的關係。

首先，交替地近觀眼前（鼻尖、眼鏡鏡邊、路旁閃過的電線桿等）及遠觀遠方的景色，這種交互視訓練可提高遠近調節功能。

戴眼鏡或隱形眼鏡的人，最後是以拿掉眼鏡為目的，所以在上班、上學途中，希望能拿掉眼鏡來練習。但是，有些「大近視」拿掉眼鏡後，就什麼也看不見，這樣的人可以逐漸地換戴度數較低的眼鏡。

有意識地看看遠方，又看看近處，這樣的交互視訓練，每隔十秒就要暫停，休息一下。

可能的話，可以同時地做交互視訓練——看看遠方和近處，及看看左右兩側的景物。

設法不以側視，而以眼睛的餘光來看兩側的景物。

如此一來，即可同時一下子地看見前方、左方、及右方等三個地方。

首先，目前為止應該還沒有人做過這種訓練，但是，做了這種訓練之後，視野就會漸漸

上班、上學的途中可做的訓練比比皆是

地廣闊起來，連帶地自動視線範圍也會拓寬。

自動視線範圍拓寬後，對於事故的預防很有幫助，且一次所讀取的字數也會增加，因此，速讀法就會有長足的進步。

做這種交互視訓練時，並不光是專心地交互看而已。還要把力氣全部放在腳趾上來走路，頭腦則和平常時一樣，可以想著公司、學校的事、或自己特別關心的事。

如此一來，即可同時一下子地進行腳、眼睛、大腦思考等三件事情。

學會了的人，可再增加一種手指運動，亦即，將左右手握緊、張開等動作，以使腦細胞活性化。我想大概有些人不會有那麼靈巧的動作吧!

事實上，「同時做好幾件事」可以使意識分散、集中，並鍛鍊右腦。

左腦型的人不太擅長同時進行好幾項作業，而得從頭開始按照順序，一個一個地做。

相形之下，右腦型的人就能比較順利地同時進行好幾項作業。

例如：絞盡腦汁才想出一個企劃案時，腦中必須同時無意識地進行好幾個思考回路、或勾起數個記憶，以並列地處理資訊。其原因即為：據說在商業社會中，右腦型的人較受器重，所以，必須儘可能地鍛鍊右腦。

事實上，目前為止已有各種右腦鍛鍊法的書出版，但是，多半是針對右腦已有相當發達程度的人而編纂的，那些方法只能使他們的右腦更加發達，而對右腦發達度低的人來說，則根本無效。

但是，若以這種不太使用頭腦的並列處理訓練當做入門，即可較順利地使右腦活性化。同時，可消除左腦的疲勞，並對視力有好的影響。

做過一段時間的前後交互視的遠近功能訓練後，可如眼球直線運動的解說中所述一般，再做別種眼球直線運動。

眼球直線運動以不滿十秒為一單位，而整個訓練合計須為二分～五分左右。

而所謂的「五分鐘」，是指已經持續地訓練一段相當時間的人而言，初學者則以二分左右為佳。如果認為沒關係，而得意忘形地繼續做的話，一定會造成體力透支，隔天，眼部肌肉就會很不舒服。

再者，若嘗試同時進行數項作業的話，做不慣的人會很緊張，而有窒息的狀況發生。

那樣的人做做深呼吸，就可紓解緊張。當然，所謂吐氣，必須是把重點放在「呼」上的深呼吸。

眼球直線運動和眼球直線運動之間須隔三十分左右，而剛開始訓練的人則須隔一小時以上，如此，可讓眼睛休息，並做視力強化和右腦活性化的形象訓練。

首先，繼續做視野擴大訓練——將視線同時往正前方及兩側看。

不配合遠近交互視的訓練，而單獨做此訓練時，就不會有過大的負擔。

同時，在腦中以想像的方式描繪地圖——從自宅到車站的簡圖。

然後，在地圖上以線條畫出自己的行動路線。就如同在看偵探電影時，其中有一幕是：在對方的車子上安裝無線電發報機，然後，自己再利用雷達一面確認，一面跟蹤。所以，如果您能在腦海中想像出一個雷達的畫面就更好。

然而，這對右腦發達的人來說，是極其簡單就能辦到的事，但對右腦不發達的人，則直如登天之難。所謂「右腦不發達的人」，大都是指「無方向感」的人，有「無方向感」的人，腦中並不會有對照現在所處位置和目的地位置的地圖，所以，常常會搞錯方向。

起先，並不容易辦到。

但是，鍥而不捨地繼續練習的話，就會使右腦活性化，而可以辦得到。

如果在自宅附近能夠做成這項訓練，那麼，即使到了陌生、不知名的地方，只要看看車站前的指南圖，並把它原原本本地記入腦中，就能依照該圖到達目的地了。

但，若一點也不努力的話，就無法克服「無方向感」。

再者，上班、上學的電車中。如果做過前面的眼球直線運動之後已過了一段時間，可以再做一分鐘左右的眼部肌肉訓練。

做速讀法訓練時，可以獨自順利地練習的人，就沒有什麼問題，但是，左腦型的人就很難辦到，而非得藉助外力不可，所以，可一邊唸著：「一、二、三、四、五……」，一邊看書，每數一下，就看一行，以這種速讀習慣來激勵自己。

最初，看文庫本時，也應十分鐘看二十頁～五十頁左右。但是，超過十分鐘（有些人是五分鐘）之後，右腦會不習慣，所以，閱讀速度會急遽下降。

與其這樣子繼續閱讀，還不如休息。

不只是休息而已，還要在十秒之內儘可能地以遠方的物體為對象，來做眼球直線運動（閱讀直寫的書時，就做另一種橫看的運動）。

然後再回到書本時，就可維持原先的速度。

若因交通太過擁擠、或暈車，而無法讀書的人，可以做別種形象訓練。

閉上眼睛，在腦中以想像的方式來描繪圓形、正方形、長方形、8字形、蝶形等。

但，這種訓練是很難做的。最初在做這種訓練時，畫著畫著，線條會從另一端消失不見，或者，總算有個線條畫下來了，但卻只是歪七扭八的圖形而已。

這種事是右腦在負責的，所以，不會的話，就表示右腦不用而退化了。

若每天鍥而不捨地繼續練習，漸漸地右腦即可活性化，同時視野、能動視幅也會擴大，視力也會改善。

學會之後，這次就不光是畫線條，還要更進一層地在線上著色、或分別在線條的內、外側著色，進行一種所謂「上色」的高級形象訓練。

也有些人不做「上色」訓練，而做別種形象訓練。

亦即，移動腦中所想像的圖形、或變更其大小。

如果做得到這些訓練，就表示您右腦的活性化程度相當好，至於有「無方向感」的人，即使不懈怠地繼續訓練，少說也要花個一年以上才學得會。

如果說因為學不會而自卑，那大可不必，因為這世上有一大半的人都不會。

在公司或學校時

此處可做的訓練並不那麼難。

只要在生活上多注意：不要左顧右盼，而要經常將視線集中在周圍物體的某一焦點上。

即使只做一次的眼球直線運動也好。

開會或上課若覺得想睡覺，就表示腦細胞陷入缺氧的狀態，可以做做深呼吸。

深呼吸之外，若再按摩眼球周圍的經絡點則更好。

如此一來，連帶地腦細胞的血液循環就會改善，原本模糊不清的眼睛也會為之一亮。

當然，也不要忘了要常常動動您的腳趾頭。

回家後

我覺得回家之後的生活情況，因人而有很大的差別，所以，針對幾個可能的情況敍述：

①想學習或讀書的人：

做速讀法訓練時，可以省略其中三～四個步驟地跳著做，但其餘的部分要在五分鐘之內全部做完，以此做為學習或讀書前的準備運動。

②真正想學成速讀法的人：

將第三章的訓練步驟做個二～三回合，然後適當地休息，如此反覆地做三十分鐘左右。

閱讀速度的測定，可以在這個訓練結束的最後來做，但，不每天做也沒關係。

③想看電視輕鬆一下的人：

跟早上一樣地在廣告時間做眼球直線運動。

④想洗個澡、喝點酒輕鬆一下的人：

在洗澡、喝酒之前先按摩經絡點約五分鐘。由於洗澡、喝酒會使血液循環良好，所以，若在其後才按摩，則效果較差。

而且，還有很多人明明是非常疲倦了而上床睡覺，但因有精神壓力，所以，怎麼樣也睡不好。

那樣的人是由於腦細胞雖已疲倦，但身體卻不那麼疲倦，這是不平衡的因素所造成的，所以，必須矯正該種不平衡現象。

這種人可以做做簡便的體操，如：「無繩跳繩健康法」。

這是一種什麼樣的體操呢？即不拿繩子，但卻跟跳繩一模一樣的運動。

茲將此「無繩跳繩法」的要點列舉如下：

①上半身儘量不要出力，就像個沒有意志的傀儡一般，肩膀、脖子都不能傾斜，搖搖擺擺地慢慢跳躍。

②目標是五分鐘之內跳五百下。馬上就跳五百下是不可能的，所以，可以從一百下開始，慢慢地增加次數。

③不必跳太高，也不是整隻腳一起跳，只要用腳趾來跳即可，這樣子的效果比較大。

而，做「無繩跳繩法」的練習時，若能再注意一下腳的方向，就會有輔助效果：

①有肥胖傾向的人，若能右腳朝正面、左腳稍微朝內地跳，則有很大的減肥效果。

②有氣喘傾向的人，若能左腳朝正面、右腳稍微朝內地跳，則對強化呼吸器官有很大的效果。

③沒有任何不適、不妥的人，則兩腳併攏、朝向正面地跳。

④有內八傾向的人，若能兩腳稍微朝外地跳，即可慢慢地矯正內八。但是，其本身若再有肥胖傾向的話，則左腳不要張太開；若有氣喘傾向，則右腳不要張太開。

⑤有O型腿傾向的人，若能兩腳都稍微朝內地跳，即可慢慢地矯正O型腿。

因此，頭部以上的血液循環就會變好，而消除腦細胞的疲勞，反之，由於身體疲倦了，就會睡得很好。

此外，這是非常基本的有氧運動，可以提高氧氣的攝取能力，所以，會改善眼球血液循環不良的狀態，並使視力提昇。

如果做了這麼多，在就寢時還是會感到眼睛疲勞，那麼，可以用熱毛巾敷在眼睛上睡覺。除了眼睛劇痛、和疑有眼睛出血等兩種情況之外，雖然敷上冷毛巾會覺得很舒服，但是恢復疲勞卻很慢。

此乃因眼球的微血管收縮變小之故。

以上已雜七雜八地說了一大堆，若想學成速讀法，而忠實地做完所有的訓練，則十日左右應會有視力恢復的效果出現；若省略一些步驟，而只做部分的訓練，也應會有那部分的效果。

大展出版社有限公司	圖書目錄
地址：台北市北投區11204 致遠一路二段12巷1號 郵撥： 0166955～1	電話：(02) 8236031 8236033 傳眞：(02) 8272069

•法律專欄連載•電腦編號 58

台大法學院 法律學系／策劃
法律服務社／編著

①別讓您的權利睡著了[1] 200元
②別讓您的權利睡著了[2] 200元

•秘傳占卜系列•電腦編號 14

①手相術	淺野八郎著	150元
②人相術	淺野八郎著	150元
③西洋占星術	淺野八郎著	150元
④中國神奇占卜	淺野八郎著	150元
⑤夢判斷	淺野八郎著	150元
⑥前世、來世占卜	淺野八郎著	150元
⑦法國式血型學	淺野八郎著	150元
⑧靈感、符咒學	淺野八郎著	150元
⑨紙牌占卜學	淺野八郎著	150元
⑩ＥＳＰ超能力占卜	淺野八郎著	150元
⑪猶太數的秘術	淺野八郎著	150元
⑫新心理測驗	淺野八郎著	150元

•趣味心理講座•電腦編號 15

①性格測驗１	探索男與女	淺野八郎著	140元
②性格測驗２	透視人心奧秘	淺野八郎著	140元
③性格測驗３	發現陌生的自己	淺野八郎著	140元
④性格測驗４	發現你的真面目	淺野八郎著	140元
⑤性格測驗５	讓你們吃驚	淺野八郎著	140元
⑥性格測驗６	洞穿心理盲點	淺野八郎著	140元
⑦性格測驗７	探索對方心理	淺野八郎著	140元
⑧性格測驗８	由吃認識自己	淺野八郎著	140元
⑨性格測驗９	戀愛知多少	淺野八郎著	140元

⑩性格測驗10　由裝扮瞭解人心　淺野八郎著　140元
⑪性格測驗11　敲開內心玄機　淺野八郎著　140元
⑫性格測驗12　透視你的未來　淺野八郎著　140元
⑬血型與你的一生　淺野八郎著　140元
⑭趣味推理遊戲　淺野八郎著　140元

・婦幼天地・電腦編號16

①八萬人減肥成果　黃靜香譯　150元
②三分鐘減肥體操　楊鴻儒譯　150元
③窈窕淑女美髮秘訣　柯素娥譯　130元
④使妳更迷人　成　玉譯　130元
⑤女性的更年期　官舒妍編譯　130元
⑥胎內育兒法　李玉瓊編譯　120元
⑦早產兒袋鼠式護理　唐岱蘭譯　200元
⑧初次懷孕與生產　婦幼天地編譯組　180元
⑨初次育兒12個月　婦幼天地編譯組　180元
⑩斷乳食與幼兒食　婦幼天地編譯組　180元
⑪培養幼兒能力與性向　婦幼天地編譯組　180元
⑫培養幼兒創造力的玩具與遊戲　婦幼天地編譯組　180元
⑬幼兒的症狀與疾病　婦幼天地編譯組　180元
⑭腿部苗條健美法　婦幼天地編譯組　150元
⑮女性腰痛別忽視　婦幼天地編譯組　150元
⑯舒展身心體操術　李玉瓊編譯　130元
⑰三分鐘臉部體操　趙薇妮著　120元
⑱生動的笑容表情術　趙薇妮著　120元
⑲心曠神怡減肥法　川津祐介著　130元
⑳內衣使妳更美麗　陳玄茹譯　130元
㉑瑜伽美姿美容　黃靜香編著　150元
㉒高雅女性裝扮學　陳珮玲譯　180元
㉓蠶糞肌膚美顏法　坂梨秀子著　160元
㉔認識妳的身體　李玉瓊譯　160元
㉕產後恢復苗條體態　居理安・芙萊喬著　200元
㉖正確護髮美容法　山崎伊久江著　180元

・青春天地・電腦編號17

①A血型與星座　柯素娥編譯　120元
②B血型與星座　柯素娥編譯　120元
③O血型與星座　柯素娥編譯　120元
④AB血型與星座　柯素娥編譯　120元

⑤青春期性教室	呂貴嵐編譯	130元
⑥事半功倍讀書法	王毅希編譯	130元
⑦難解數學破題	宋釗宜編譯	130元
⑧速算解題技巧	宋釗宜編譯	130元
⑨小論文寫作秘訣	林顯茂編譯	120元
⑪中學生野外遊戲	熊谷康編著	120元
⑫恐怖極短篇	柯素娥編譯	130元
⑬恐怖夜話	小毛驢編譯	130元
⑭恐怖幽默短篇	小毛驢編譯	120元
⑮黑色幽默短篇	小毛驢編譯	120元
⑯靈異怪談	小毛驢編譯	130元
⑰錯覺遊戲	小毛驢編譯	130元
⑱整人遊戲	小毛驢編譯	120元
⑲有趣的超常識	柯素娥編譯	130元
⑳哦！原來如此	林慶旺編譯	130元
㉑趣味競賽100種	劉名揚編譯	120元
㉒數學謎題入門	宋釗宜編譯	150元
㉓數學謎題解析	宋釗宜編譯	150元
㉔透視男女心理	林慶旺編譯	120元
㉕少女情懷的自白	李桂蘭編譯	120元
㉖由兄弟姊妹看命運	李玉瓊編譯	130元
㉗趣味的科學魔術	林慶旺編譯	150元
㉘趣味的心理實驗室	李燕玲編譯	150元
㉙愛與性心理測驗	小毛驢編譯	130元
㉚刑案推理解謎	小毛驢編譯	130元
㉛偵探常識推理	小毛驢編譯	130元
㉜偵探常識解謎	小毛驢編譯	130元
㉝偵探推理遊戲	小毛驢編譯	130元
㉞趣味的超魔術	廖玉山編著	150元
㉟趣味的珍奇發明	柯素娥編著	150元

•健康天地•電腦編號 18

①壓力的預防與治療	柯素娥編譯	130元
②超科學氣的魔力	柯素娥編譯	130元
③尿療法治病的神奇	中尾良一著	130元
④鐵證如山的尿療法奇蹟	廖玉山譯	120元
⑤一日斷食健康法	葉慈容編譯	120元
⑥胃部強健法	陳炳崑譯	120元
⑦癌症早期檢查法	廖松濤譯	130元
⑧老人痴呆症防止法	柯素娥編譯	130元

國家圖書館出版品預行編目資料

視力恢復！超速讀術 / 若櫻木虔，川村明宏著；
江錦雲譯 一初版，一臺北市：大展，民84
面； 公分，一（校園系列；5）
ISBN 957-557-515-6（平裝）

1.閱讀法 2.視力

019.1 84003886

SHIRYOKU FUKKATSU ! CHŌ SOKUDOKUJUTSU
written by Ken Wakasagi and Akihiro Kawamura
Copyright (c) 1989 by Ken Wakasagi and Akihiro Kawamura
Original Japanese edition published by Nihon Bungei-Sha
Chinese translation rights arranged with Nihon Bungei-Sha
through Japan Foreign-Rights Centre/Hongzu Enterprise Co., Ltd.

版權代理／宏儒企業有限公司

【版權所有・翻印必究】

視力恢復！超速讀術

ISBN 957-557-515-6

原著者／若櫻木虔 川村明宏
編譯者／江 錦 雲
發行人／蔡 森 明
出版者／大展出版社有限公司
社 址／台北市北投區（石牌）致遠一路二段12巷1號
電 話／(02) 8236031・8236033
傳 眞／(02) 8272069
郵政劃撥／0166955－1
登記證／局版臺業字第2171號
承印者／高星企業有限公司
裝 訂／日新裝訂所
排版者／千兵企業有限公司
電 話／(02) 8812643
初 版／1995年（民84年）6月
2 刷／1997年（民86年）3月

定 價／180元

●本書若有破損缺頁敬請寄回本社更換●

大展好書  好書大展

大展好書 好書大展